JN065608

2025年度版

TAC税理士講座

税理士受験シリーズ

# 消費税法

# 完全無欠の総まとめ

TAC出版

TAC PUBLISHING Group

# はじめに

　本書は、税理士試験の重要科目の一つである「消費税法」について、項目（テーマ）別に、重要な論点をコンパクトにまとめたものです。

　消費税法は「税法」の一つですが、税法は「法律」であることから、難解、かつ読み取りづらい文章が多く、そのとっつきにくさに戸惑ってしまうことも多いでしょう。そのため、効果的な勉強方法がつかめず、手探りの学習に陥ってしまいがちですが、本書は、各項目の最初に「学習のポイント」を表示するなど、初めて学ぶ人でも効率よく学習が進められるように、さまざまな工夫を凝らしてあります。ですから、「ポイント整理」で要点をつかみ、「設例」を解き、「解説」で確認することで、無駄のない学習を進めていくことができるでしょう。

　すでに一通り学習をした人は、知識に欠落がないか、弱点はないかを「設例」を解きながら確かめることができます。また、復習や試験前の総まとめの際にも最適なパートナーとなってくれるでしょう。

　本書は、税理士試験で毎年抜群の実績を残しているTACで使用している基本テキストをはじめとする各種の教材をコンパクトにまとめたものですから、税理士試験に限らず、会計の実務の中で身につけておくべき知識を習得することもできます。

　税理士試験の勉強は、何度も繰り返し学習することで

習熟度を増すことができるものです。「本書の特長と使い方」を参考に、自己の習熟度を確かめながら、受験勉強を進めてください。

　本書が、「消費税法」を学習する人の、力強い味方になれば幸いです。

**TAC税理士講座**

# 本書の特長と使い方

① 本書は、消費税の計算に関する基本論点を中心に集録しています。本書を順番に読み進め、理解していくことにより、消費税の納付税額の基本的な計算ができるような構成になっています。

また、消費税法の理論のうち、計算に関係のある重要な論点についても集録してありますので、納付税額の計算パターンはもちろんのこと、さまざまな特例の適用を受けるための手続き等についても理解をすることができます。

② 各項目は税理士試験の**重要度に応じて、**「A☆☆☆」「B☆☆」「C☆」の３段階を**明示**しています。そのため、出題頻度の高い項目から取り組むなど、自己のスケジュールに合わせて学習することができます。

③ 各項目の最初に、効率のよい学習ができるように、「**学習のポイント**」として要点を提示しています。この「学習のポイント」に提示されている内容を確実に理解することを目標として、学習を進めてください。

④ 「ポイント整理」の中で、消費税法の重要な論点をコンパクトに解説しています。ここを読み進めることにより、理解を深め、正確な知識をインプットしてください。

⑤ 重要な論点のうち、文章では理解しにくいものについては、できるだけ図表を示すことにより、視覚的に

理解できるようにまとめてあります。図表を有効に活用してください。

⑥　消費税の計算の中の特に重要な論点について、インプットした知識を正確にアウトプットできるようにするための練習として、各論点ごとに「設例」を設けました。ですから、手軽に持ち歩ける問題集としても活用することができます。

⑦　「ここを覚えろ！」の中で、必ず覚えてほしいポイントをまとめてあります。

⑧　各項目に関連する、覚えておきたい重要な語句、重要なポイントは色文字にしてありますので、一目で確認をすることができます。

⑨　重要項目の理解と暗記には、繰り返し学習することが大切です。そこで、自己の学習がどの程度進んでいるかを確認できるように、各項目の最初のページに「学習度チェック」を付しました。


（本書は令和 6 年10月現在の法令に準拠しています。）

# ■ 目 次 ■

※　適用税率は、特段指示のあるものを除き、消費税7.8％、地方消費税2.2％とし、税率の経過措置が適用される取引及び軽減税率の対象となる取引は含まれていないものとする。

※　設例の計算にあたり、帳簿及び請求書等は法令に従って保存されており、課税仕入れの相手方は原則としてすべて適格請求書発行事業者であるものとする。

完全無欠の総まとめ

# 消費税法

# 1 消費税の概要

## ●学習のポイント●

1. 消費税を学習するにあたり、必要な基礎的事項を確認する。
2. 消費税は誰がどのようにして納めるものなのかを知る。
3. 消費税の納付税額の計算方法を知る。
4. 取引の分類の大枠をつかむ。

## ■ ポイント整理

### 〔1〕消費税はモノの消費に対して広く課税

消費税は、酒税やたばこ税のように特定の物品やサービスに課税する「個別消費税」とは異なり、**原則として国内におけるすべての商品の販売、サービスの提供に対して課税**されている。

また、輸入取引に関しても、国内で消費することを目的としていることから、課税することとしている。

このように、消費税は消費に広く負担を求めるという観点から、「一般消費税」と呼ばれている。

### 〔2〕消費税は間接税

直接税 … 税の負担者と納税者が同一である税金
間接税 … 税の負担者と納税者が異なる税金

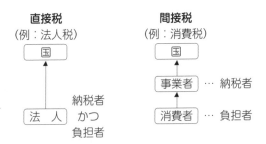

### 〔3〕消費税の税率は7.8%

消費税の税率は10%であるが、この内訳は、**国税7.8%**、**地方税2.2%**となっている。

なお、受験においては、国税7.8%部分に着目して学習することとなる。

### 〔4〕消費税法上の「売上げ」と「仕入れ」

消費税法における「売上げ」は、会計における売上げより広い概念であり、棚卸資産に限らず、資産等を売却すればすべて「売上げ」となる。したがって「収入」と同義と考えることができる。「売上げ」のうち消費税が課税されるものを「課税売上げ」という。

また、「仕入れ」についても、棚卸資産に限らず、資産等を購入すれば、すべて「仕入れ」となる。したがって「支出」と同義と考えることができる。「仕入れ」のうち消費税が課税されるものを「課税仕入れ」という。

### 〔5〕納付税額の計算

消費税のしくみを一事業者の立場で考えると、資産の購入時に消費税を支払い、資産の販売時に消費税を預かることとなり、その事業者は**「預かった消費税額」**から**「支払った消費税額」を差し引いて「納付税額」を計算**し、納めることとなる。

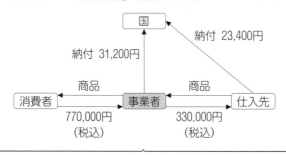

| 事 業 者 の 計 算 | |
|---|---|
| 売　　上　本体　700,000円<br>(770,000円) 7.8%　54,600円<br>　　　　　 2.2%　15,400円 | 仕　　入　本体　300,000円<br>(330,000円) 7.8%　23,400円<br>　　　　　 2.2%　 6,600円 |

| 預かった消費税額 | － | 支払った消費税額 | ＝ | **納付税額** |
|---|---|---|---|---|
| 54,600円 | | 23,400円 | | 31,200円 |

消費税法では、預かった消費税額を「課税標準額に対する消費税額」といい、支払った消費税額を「控除対象仕入税額」という。

〔6〕取引の分類

　P.3で示したように、消費税の納付税額は売上金額から「預かった消費税額」を、仕入金額から「支払った消費税額」をそれぞれ計算することにより求める。したがって、消費税の納付税額を計算するにあたっては、どの取引に消費税が課税され、どの取引に課税されないのかを判断できなければならない。

⑴　国内取引の分類

　国内で行う取引については、次の各段階に従って分類し、**最終的に「課税（7.8%）取引」に分類された取引に消費税が課税**されることとなる。

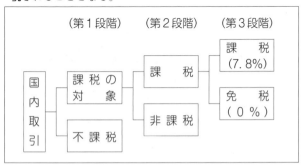

⑵　輸入取引の分類

　輸入により国内に仕入れる貨物については、次の段階に従って分類し、最終的に「**課税貨物**」に分類された貨物に消費税が課税されることとなる。

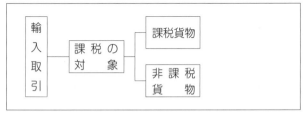

1

消費税の概要

# 2　課税の対象

重要度A
★★★

●学習のポイント●

1．国内取引の課税の対象の4要件を確認する。
2．輸入取引の課税の対象とはどのようなものかを知る。

## ■ ポイント整理

〔1〕国内取引

(1) 課税の対象と不課税取引

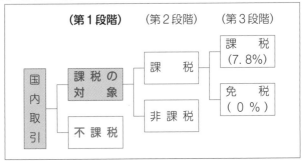

　国内取引の分類の第1段階は、取引を「課税の対象」と「不
課税取引」とに分けることである。

　課税の対象とは「消費税法が適用されるもの」という意味で
ある。この課税の対象とならない取引を不課税取引といい、消
費税の計算では考慮しない。

(2) 国内取引の課税の対象となるための4要件

　次の4要件をすべて満たした取引が国内取引の課税の対象に
分類される。

こ ここを覚えろ！

●国内取引の課税の対象の4要件
①　国内において行うものであること。
②　事業者が事業として行うものであること。
③　対価を得て行うものであること。
④　資産の譲渡・貸付け、役務の提供であること。
(注) 特定資産の譲渡等、特定仕入れを考慮していない。

この「課税の対象の4要件」の内容は以下のとおりである。

① **国内において行うもの**

その取引が国内において行われたかどうかの判定は、次の場所が国内にあるかどうかにより行う。

〔資産の譲渡等の場合〕

**イ 資産の譲渡・貸付けの場合**

(イ) **原 則**

譲渡・貸付け時の資産の所在場所

(ロ) **例 外**

| 特 許 権 等 | 登録機関の所在地<br>（2以上の国に登録している場合には、権利の譲渡・貸付けを行う者の住所地） |
|---|---|
| 著 作 権 等 | 譲渡・貸付けを行う者の住所地 |
| 営 業 権 等 | 権利に係る事業を行う者の住所地 |
| 有 価 証 券<br>（一定のものを除く） | 有価証券の所在場所 |
| 振替機関等が取り扱う<br>有価証券等又は持分 | 振替機関等の所在地 |
| 振替機関等が取り扱わない券面のない<br>有価証券又は持分 | 有価証券又は持分に係る法人の本店、主たる事務所の所在地等 |
| 金 銭 債 権 | 債権者の事務所等の所在地 |
| ゴ ル フ 場<br>利 用 株 式 等 | ゴルフ場等の所在地 |

**ロ 役務の提供の場合**

(イ) **原 則**

役務の提供地

(ロ) **例 外**

| 国 際 運 輸 | 出発地又は到着地のいずれか |
|---|---|
| 国 際 通 信 | 発信地又は受信地のいずれか |
| 国 際 郵 便 等 | 差出地又は配達地のいずれか |
| 国内及び国外にわたって行われるものその他の明らかでないもの | 役務の提供を行う者の事務所等の所在地 |

ハ　電気通信利用役務の提供の場合
　　役務の提供を受ける者の住所等
ニ　利子を対価とする金銭の貸付け等の場合
　　貸付け等を行う者の事務所等の所在地

〔特定仕入れの場合〕
　特定仕入れとして他の者から受けた役務の提供につき、上記
ロ又はハの場所
　ただし、次の場合は、この限りでない。
⑷　国外事業者が恒久的施設で行う特定仕入れ（注）のうち、
　国内において行う資産の譲渡等に要するものは、国内で行
　われたものとする。
　（注）事業者向け電気通信利用役務の提供に限る。
⑻　事業者（国外事業者を除く。）が国外事業所等で行う特
　定仕入れ（注）のうち、国外において行う資産の譲渡等に
　のみ要するものは、国外で行われたものとする。

②　**事業者が事業として行うもの**
　事業者とは、個人事業者及び法人をいう。

その行う活動は、すべて「事業として」
に該当する。

その行う活動のうち、事業者としての
立場で行う取引に限られる。
したがって、個人事業者が生活の用に
供している資産を譲渡する行為は「事
業として」に該当しない。

（注）サラリーマンの雇用契約等に基づく役務の提供は「事業
　　として」に該当しない。
（注）事業付随行為も「事業として」に該当する。

③　**対価を得て行うもの**
　対価を得て行うとは、資産の譲渡等に対して反対給付を受
けることをいう。

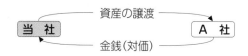

対価性のない取引（＝不課税取引）の具体例

イ　資産の贈与（＝無償の譲渡）

ロ　**保険金**、共済金

ハ　**損害賠償金**（一定のものを除く。）

ニ　立退料（一定のものを除く。）

ホ　**配当金**

ヘ　**寄附金**、祝金、見舞金等

ト　補助金、助成金等

チ　敷金、保証金等で返還義務があるもの

④　**資産の譲渡、貸付け、役務の提供**

$\begin{cases} 資産の譲渡 ……商品の販売、資産の売却など \\ 資産の貸付け …建物の賃貸、自動車のレンタルなど \\ 役務の提供 ……サービスの提供を行うことなど \end{cases}$

(3)　**みなし譲渡**

　　上記4要件のうち、「事業として」あるいは「対価を得て」という要件を満たしていないのにもかかわらず、満たしているものとして取り扱う取引を「みなし譲渡」という。

　　「みなし譲渡」は、次の2つに限定されている。

①　**個人事業者の家事消費**

　　（例）個人事業者（A）が商品を家庭用に使用した。

　　これを課税の対象の4要件と照らし合わせると…

$\begin{cases} 「家庭用に」→「事業として」に該当しない \\ 「使用した」→「対価を得て」に該当しない \end{cases}$

②　**法人のその社の役員に対する贈与**

　　（例）法人が商品をその社の役員に対して贈与した。

　　これを課税の対象の4要件と照らし合わせると…

　　「贈与」→「対価を得て」に該当しない

　上記のみなし譲渡は、4要件のうち「事業として」あるいは「対価を得て」という要件を満たしていないにもかかわらず、事業として対価を得て行われた資産の譲渡とみなす。したがって、国内において行われたものである場合には4要件すべてを満たし、課税の対象となる。

### (4) 資産の譲渡等に類する行為

　以下に掲げる取引は、一見すると対価性のない取引であるが、実質的に一定の反対給付があると考えることにより、資産の譲渡等に含まれる。したがって、以下に掲げる取引を国内において事業者が行った場合には課税の対象となる。
　① 　代物弁済による資産の譲渡
　② 　負担付き贈与による資産の譲渡
　③ 　金銭以外の資産の出資（現物出資）
　④ 　特定受益証券発行信託又は法人課税信託をした場合における資産の移転等
　⑤ 　貸付金その他の金銭債権の譲受けその他の承継（包括承継を除く。）
　⑥ 　不特定多数の者への送信に係る受信料

### (5) 土地収用法等の規定による収用

　土地収用法とは国等が半強制的に土地等を買収する法律である。補償金は原則的には対価性のない収入であるが、土地等の譲渡の見返りとして収受する対価補償金は、例外的に対価性があるものとして取り扱う。（対価補償金以外の補償金は、原則通り、対価性がない。）したがって、国内において事業者が土地等を収用され、対価補償金を取得する行為は課税の対象となる。

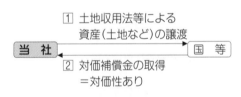

### 〔2〕輸入取引

#### (1) 課税の対象

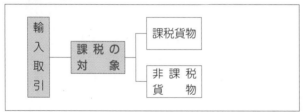

　輸入取引の課税の対象は「保税地域から引き取られる外国貨物には消費税を課する。」と規定されており、国内取引のような要件は特にない。

#### ① 保税地域とは？

　輸入資産についての課税を一時保留して、その資産を保管する場所をいう。

#### ② 外国貨物とは？

輸入許可を受ける前の貨物
輸出許可を受けた後の貨物 } をいう。

#### (2) みなし引取り

　保税地域において外国貨物が消費等された場合には、保税地域から引き取るものとみなす。

　ただし、課税貨物の原材料として消費等された場合は、引取りとはみなさない。

## ■ 設 例

次の取引について、課税の対象（消費税法の適用を受けるもの）となるものに○を、課税の対象とならないものに×を付しなさい。

(1) 国内において法人が商品を得意先に販売した。
(2) 国内において法人が商品を従業員に贈与した。
(3) 国内において法人が自社の役員に対し資産を贈与した。
(4) 国外において法人が商品を得意先に販売した。
(5) 内国法人が特許権（日本で登録されている。）を売却した。
(6) 内国法人が特許権（アメリカ合衆国で登録されている。）を貸し付け、使用料を収受した。
(7) 法人が国内に所在する土地を貸し付け、地代を収受した。
(8) 法人が国内に所在する土地を無償で貸し付けた。
(9) 法人が自社の役員に対し国内に所在する社宅を無償で貸し付けた。
(10) 法人が日本から中国への貨物の運送を請け負い、運送料を収受した。
(11) 国内において法人がその所有する株式につき配当金を収受した。

## ■ 解 説

(1) ○
(2) × 贈与＝対価を得ていない
(3) ○ 「みなし譲渡」に該当する。
(4) × 国外において＝「国内において」の要件を満たしていない。
(5) ○
(6) × 特許権等については、その譲渡又は貸付けの時における登録機関の所在地で判定する。
(7) ○
(8) × 無償で＝対価を得ていない
(9) × 無償で＝対価を得ていない
　　　 自社役員に対する無償の貸付けは「みなし譲渡」に該当しない。
(10) ○ 国際運輸については、出発地又は到着地のいずれかが国内であれば国内取引に該当する。
(11) × 配当金は対価性がない取引であり、「対価を得て」の要件を満たさない。

2

課税の対象

# 3 非課税取引

重要度A
★★★

●学習のポイント●

1．国内取引の非課税取引（15項目）を確認する。
2．輸入取引の非課税資産（7項目）を確認する。

## ■ ポイント整理

〔1〕国内取引

(1) 国内取引の非課税

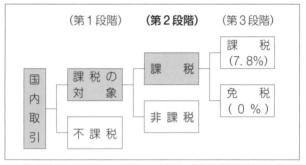

第2段階の分類は、課税の対象を「非課税取引」と「課税取引」とに分けることである。

非課税取引とは、消費に負担を求める税の性格から課税することになじまないものや、政策的に課税することが適当でないものについて、課税しないこととしている取引をいう。

国内取引の非課税は下記15項目の限定列挙である。

### ここを覚えろ！

#### ●国内取引の非課税

《税の性格からなじまないもの》

① 土地等の譲渡、貸付け
② 有価証券等の譲渡
③ 利子、保証料、保険料など
④ 郵便切手類、印紙、証紙の譲渡
⑤ 物品切手等（商品券など）の譲渡

⑥　住民票、戸籍抄本等の行政手数料など
⑦　外国為替業務
《政策的に課税することが適当でないもの》
⑧　社会保険医療など
⑨　介護保険サービス・社会福祉事業など
⑩　助産に係る資産の譲渡等
⑪　埋葬料、火葬料
⑫　身体障害者用物品の譲渡、貸付けなど
⑬　一定の学校の授業料など
⑭　教科用図書の譲渡
⑮　住宅の貸付け

(2)　**国内取引の非課税項目**

### ①　土地等の譲渡、貸付け

・「土地等」の中には、土地の上に存する権利（例：借地権）が含まれる。
・土地の貸付けのうち、次のものは課税取引となる。
　イ　契約による貸付期間が1月未満の貸付け
　ロ　駐車場、建物等の**施設の利用**に伴って土地が使用される場合の土地の貸付け（土地を含めた全体を施設の貸付けと考える。）

　※　土地付建物の譲渡

建物の譲渡　→　課　税
土地の譲渡　→　非課税

　※　土地付建物の貸付け

施設の貸付け　住宅以外　→　課　税
　　　　　　　住宅　→　非課税

・土地等に係る**役務の提供**（例：仲介、造成、鑑定）は、課税取引となる。

## ② 有価証券等の譲渡

・有価証券等 $\begin{cases} 有\,価\,証\,券\cdots（例）公社債、株式 \\ 支\,払\,手\,段\cdots（例）銀行券、約束手形 \\ 類するもの\cdots（例）金銭債権、暗号資産 \end{cases}$

・船荷証券、**ゴルフ場利用株式等**は有価証券等に含まれない。

・収集品、販売用の支払手段（例：記念コイン）の譲渡は、いわゆる「商品」の譲渡と同じ性質であり、課税取引となる。

・有価証券に係る**役務の提供**（例：売買委託手数料）は、課税取引となる。

## ③ 利子、保証料、保険料など

・利子 $\begin{cases} 公社債、貸付金、預金等の利子及び利息 \\ 投資信託等の収益の分配金 \\ 割引債の償還差益 ※1 \\ 金銭債権の買取差益 \end{cases}$

・信用の保証料 ※2、物上保証料 ※3

・保険料等（事務費用部分を除く）

※1 割引債の償還差益

1 額面100円の割引債を95円で購入

当 社 ／ 銀行等

2 1の割引債が額面100円で償還
（100円－95円＝5円…償還差益）

※2 信用の保証料 … 他の者の借入金の保証人となることに伴い収受するもの

3 金銭の借入れ
債務者 ← 銀 行
1 保証料
2 債務の保証
当 社

※3 物上保証料 … 他の者の金銭借入れに伴い、担保資産を代わりに提供する際に収受するもの

3 金銭の借入れ
債務者 ← 銀 行
1 保証料
2 担保資産の提供
当 社

### ④ 郵便切手類、印紙、証紙の譲渡

・郵便切手類 … 郵便切手、郵便葉書、郵便書簡
・印紙 … 収入印紙など
・証紙 … 地方公共団体が使用料又は手数料の徴収について現金の代わりとして収入するもの
・郵便局等又は地方公共団体等といった、特定の販売所が譲渡する場合にのみ非課税となる。

### ⑤ 物品切手等（商品券など）の譲渡

・物品切手等 … **商品券、ビール券**、いわゆるプリペイドカードなど
・物品切手等の原始発行は、不課税取引となる。
・物品切手等の譲渡は、販売所が限定されていないため、郵便局等以外が販売しても非課税となる。

### ⑥ 住民票、戸籍抄本等の行政手数料など

・国、地方公共団体、公共法人等が行う登記、認可、承認、検査、証明等の事務の手数料で、その徴収について法令に根拠となる規定があるもの

### ⑦ 外国為替業務

### ⑧ 社会保険医療など

・健康保険法等の規定に基づく社会保険医療（いわゆる保険証が効く診療）が非課税に該当する。
・社会保険医療以外の自由診療（健康診断、人間ドック、美容整形など）や、医薬品の販売又は医療器具の販売等は、課税取引となる。

### ⑨ 介護保険サービス・社会福祉事業など

・社会福祉事業及び更生保護事業として行われる資産の譲渡等（一定の生産活動に基づくものを除く。）

### ⑩ 助産に係る資産の譲渡等

## ⑪ 埋葬料、火葬料

・埋葬料、火葬料のみが非課税となり、墓石、葬式、葬儀の費用及び花輪代は課税取引となる。

## ⑫ 身体障害者用物品の譲渡、貸付けなど

・身体障害者用物品 … 義肢、車椅子など
・身体障害者用物品の部分品（部品）の譲渡等は、課税取引となる。

## ⑬ 一定の学校の授業料など

・授業料など … 授業料、入学金、施設設備費、入学検定料、成績証明書等の手数料
・「学校」とは、学校教育法に規定するものに限られており、いわゆる学習塾やカルチャースクールの受講料は課税取引となる。

## ⑭ 教科用図書の譲渡

・教科用図書の配送等の役務の提供は課税取引となる。
・補助教材の譲渡は、その補助教材を学校が指定した場合であっても、課税取引となる。

## ⑮ 住宅の貸付け

・非課税となる住宅の貸付けは、契約で居住の用に供することが明らかな場合（注）に限るものとし、貸付期間が1月未満の場合等を除く。

（注）契約でその貸付けに係る用途が明らかにされていない場合にその貸付け等の状況からみて居住の用に供されていることが明らかな場合を含む。

・次のものは課税取引となる。

　イ　**事務所、店舗、倉庫、保養所**等の居住用以外の貸付け

　ロ　居住用であっても、契約による貸付期間が1月未満の貸付け

　ハ　旅館業法に規定する旅館、ホテル、貸別荘、リゾートマンション等の貸付け

　ニ　住宅（建物）の**譲渡**

・建物等の貸付けに伴う共益費（アパート等の共用部分の維持のために各世帯ごとに拠出する費用）、権利金、更新料等については、原則として家賃と同様に取り扱う。

　（例）住宅の貸付けに係る共益費→**非課税取引**

　　　　事務所の貸付けに係る共益費→**課税取引**

・社宅については、「社員への貸付け」及び「法人が家主から借り上げた場合」いずれも非課税取引である。

〔2〕 輸入取引

(1) 輸入取引の非課税項目

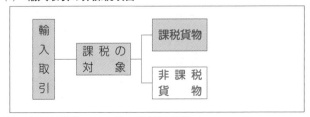

① 有価証券等　　　② 郵便切手類
③ 印　　紙　　　　④ 証　　紙
⑤ 物品切手等　　　⑥ 身体障害者用物品
⑦ 教科用図書

## ■ 設　例

次の取引のうち非課税となるものを選びなさい。

なお、与えられた取引はすべて国内取引の要件を満たすものであり、また、譲渡及び貸付けについてはそれぞれ対価を収受しているものとする。

(1) 法人が行う土地の譲渡
(2) 法人が行う借地権の譲渡
(3) 法人が行う土地の貸付け（貸付期間は3週間）
(4) 法人が行う土地の貸付け（貸付期間は1年間）
(5) 法人が行う時間貸駐車場の貸付け
(6) 法人（不動産会社）が土地の売却を仲介したことにより収受する仲介手数料
(7) 法人（建設会社）が土地の整地をしたことにより収受する造成代金
(8) 法人が行う株式の譲渡
(9) 法人が行う国債の譲渡
(10) 法人が行う社債の譲渡
(11) 法人が行う預託金方式によるゴルフ会員権の譲渡
(12) 法人が行うゴルフ場利用株式の譲渡
(13) 法人（証券会社）が収受する株式売却手数料
(14) 法人が収受する国債の利子
(15) 法人が収受する銀行預金の利子
(16) 法人が収受する貸付金利息
(17) 法人（保険会社）が収受する保険料
(18) 法人が行う居住用マンションの貸付け（貸付期間は2年間）

⒆　法人が行う居住用マンションの貸付け（貸付期間は 3 週間）
⒇　法人が行う事務所用マンションの貸付け
㉑　法人が行う別荘の貸付け
㉒　法人が行う保養所の貸付け
㉓　法人が行う社宅の貸付け（貸付期間は 1 年間）
㉔　法人が行う居住用建物の売却（土地については考慮不要とする。）
㉕　法人が行う事務所用建物の売却（土地については考慮不要とする。）
㉖　法人（不動産会社）が居住用建物の売却を仲介したことにより収受する仲介手数料
㉗　日本郵便株式会社が行う郵便切手の販売
㉘　法人（酒販売店）が行うビール券の販売

■ 解　説

(1)、(2)、(4)、(8)、(9)、(10)、(14)、(15)、(16)、(17)、(18)、(23)、(27)、(28)

⑵　借地権（土地の上に存する権利）の譲渡は、非課税取引に該当する。
⑶　土地の貸付けであっても 1 月未満の貸付けは、土地の貸付けから除かれる。
⑸　施設の利用に伴って土地が使用される場合は、土地の貸付けから除かれる。
⑹、⑺　土地に係る役務の提供は、非課税取引とはならない。
⑾、⑿　ゴルフ会員権、ゴルフ場利用株式は、有価証券等から除かれる。
⒀　有価証券等に係る役務の提供は、非課税取引とはならない。
⒆　住宅の貸付けであっても 1 月未満の貸付けは、住宅の貸付けから除かれる。
⒇～㉒　事務所、店舗、倉庫、保養所、別荘等の居住用以外の貸付けは、非課税取引とはならない。
㉔、㉕　建物の譲渡は、非課税取引とはならない。
㉖　建物に係る役務の提供は、非課税取引とはならない。
㉗　日本郵便株式会社等が行う郵便切手類の譲渡は、非課税取引に該当する。
㉘　物品切手等（ビール券）の譲渡は、非課税取引に該当する。

**3**

非課税取引

# 4  免税取引

重要度A
★★★

●学習のポイント●

輸出取引等の内容を理解する。

## ■ ポイント整理

### 〔1〕免税取引

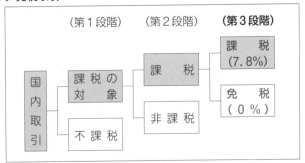

第3段階の分類は、課税取引を「課税取引（7.8%）」と「免税取引」とに分けることである。

免税取引とは、日本の消費税を国外の消費者に負担させない（消費地課税主義）観点から、消費税を免除することとしている取引をいう。また、免税取引は課税取引に含まれるが、消費税が課税されないため、「0％課税取引」ともいう。

免税取引は「輸出取引等」と呼ばれるものに該当する取引である。

### ここを覚えろ！

**●輸出取引等の範囲**

① 本邦からの輸出として行われる資産の譲渡又は貸付け

② 外国貨物の譲渡又は貸付け（①を除く）

③ 国際運輸、国際通信、国際郵便等

④ 専ら国際運輸の用に供される船舶又は航空機の譲渡、貸付け、又は修理で一定のもの

⑤ 外国貨物に係る役務の提供（指定保税地域等における内国貨物に係る役務の提供等を含む。）
⑥ 非居住者に対する無形固定資産の譲渡又は貸付け
⑦ 非居住者に対する役務の提供（一定のものを除く。）

## 〔2〕輸出取引等の範囲

### ① 本邦からの輸出として行われる資産の譲渡又は貸付け

・（例）日本企業の外国企業に対する商品の輸出販売
・輸出物品製造のための下請加工及び輸出取引を行う事業者に対して行う国内での資産の譲渡等は「本邦からの輸出」ではないため、輸出取引等に該当しない。
・国外で購入した貨物を国内の保税地域に陸揚げし、輸入手続を経ないで再び国外へ譲渡する場合には、その貨物の譲渡は免税取引となる。

### ② 外国貨物の譲渡又は貸付け（①を除く）

輸入許可を受ける前の貨物（＝外国貨物）の譲渡又は貸付けをいう。

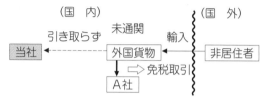

### ③ 国際運輸、国際通信、国際郵便等

- ・国 際 運 輸… (例) 国際線飛行機 (日本－外国間) の
航空運賃、日本から外国への貨物の
輸送運賃
- ・国 際 通 信… (例) 国際電話料金
- ・国 際 郵 便 等… (例) エアメール料金

### ④ 専ら国際運輸の用に供される船舶又は航空機の譲渡、貸付け、又は修理で一定のもの

### ⑤ 外国貨物に係る役務の提供 (指定保税地域等における内国貨物に係る役務の提供等を含む。)

- ・(例) 外国貨物の荷役料、保管料、通関手数料
- ・指定保税地域等においては、外国貨物だけでなく内国貨物に係る役務の提供も免税取引となる。
- ・保税地域における倉庫の貸付けは「輸出取引等」に該当しないため、課税取引となる。

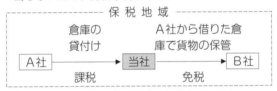

### ⑥ 非居住者に対する無形固定資産の譲渡又は貸付け

- ・(例) 外国法人に対する特許権 (日本に登録) の貸付け
- ・非居住者とは？
  本邦内に住所、居所を有しない自然人 ⎫
  本邦内に主たる事務所を有しない法人 ⎬ をいう
  ただし、外国に本店を持つ法人の本邦内の支店等は、
  その主たる事務所が外国にある場合においても居住者とみなされる。
- ・無形固定資産とは特許権、著作権、営業権等をいう。

## ⑦　非居住者に対する役務の提供（一定のものを除く。）

・「一定のもの」とは？

　イ　国内に所在する資産に係る運送又は保管

　（例）外国法人が保有する商品の日本国内での運送

　ロ　国内における飲食又は宿泊

　（例）外国人旅行者の日本のレストランでの飲食

　ハ　イ、ロに準ずるもので国内において直接便益を享

　　受するもの

※　「非居住者に対する役務の提供で国内において直
　接便益を享受しないもの」の具体例

（例）外国法人から依頼された国内広告宣伝

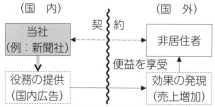

　広告宣伝の効果の発現する場所が国外であること
から輸出取引等に該当する。

　上記イ～ハに掲げる取引は、輸出取引等の範囲から除
かれているため、課税取引に該当する。

### 〔3〕輸出物品販売場における輸出物品の譲渡に係る免税

外国人旅行者等（非居住者）が日本に来て免税店（輸出物品販売場）で物品を購入し、その旅行者等は、その物品を国外に持ち帰って消費することになるわけだが、これをその経営者の立場から考えれば、物品を非居住者に販売する、いわゆる「輸出取引等」となんら変わらない。そこで「免税取引」と同様の取扱いをすることとしている。

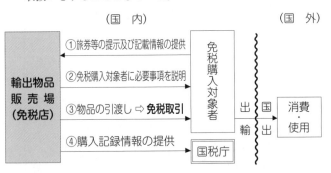

（輸出物品販売場の免税制度の要件）

| | | 一般物品 | 消耗品 |
|---|---|---|---|
| 販 売 金 額<br>（※1・2） | | 5,000円以上 | 5,000円以上<br>50万円以下 |
| 手 続 き | ① | 旅券等の提示、旅券等に係る情報の提供 | |
| | ② | 一定の書類の提示、書類に係る情報の提供 | |
| | ③ | — | 大臣の指定する特殊包装 |
| | | 免税購入対象者に必要事項を説明 | |
| 書 類 等 の<br>保 存 等 | | 購入記録情報の提供及びその保存 | |

※1　金額は「税抜」で判定する。

※2　一般物品と消耗品の販売価額が5,000円未満であったとしても、合計額が5,000円以上であれば、一般物品を消耗品と同様の指定された方法により包装することで、免税販売することができる。この場合、その一般物品は消耗品として取り扱うこととなる。

また、この取扱いは手続委託型輸出物品販売場制度にも適用される。

## ⁇ 参 考

### ⑴ 手続委託型輸出物品販売場制度

　商店街やショッピングモール内等における各店舗の免税手続を
「免税手続カウンター」でまとめて行うことができる。

**（手続委託型輸出物品販売場制度）**

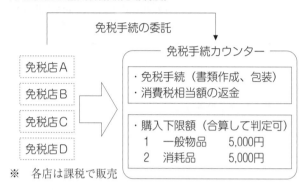

**（免税カウンターにおける手続き等の特例）**
**〜購入下限額を超えるかどうかの判定に係る特例〜**

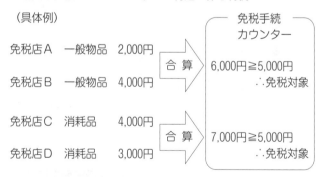

### ⑵ 臨時販売場制度

　輸出物品販売場を経営する事業者が、臨時販売場の設置事業者
としてあらかじめ納税地の所轄税務署長の承認を受け、臨時販売
場を設置する日の前日までに、納税地の所轄税務署長に「臨時販
売場設置届出書」を提出した場合には、その臨時販売場において
免税販売を行うことができる。

### (3) 免税販売手続きの電子化

　令和2年4月1日から、輸出物品販売場において書面により行われていた購入記録票の作成等の免税販売手続が電子化されている。

### (4) 自動販売機型輸出物品販売場制度

　令和3年10月1日以後に行われる輸出物品販売場の許可及び臨時販売場を設置する事業者の承認について、輸出物品販売場の許可の区分として自動販売機型輸出物品販売場（免税販売手続が自動販売機によってのみ行われる市中輸出物品販売場をいう。）が追加されている。

### (5) 免税購入対象者の見直し

　令和5年4月1日以降に行われる課税資産の譲渡等については、輸出物品販売場において免税で購入することができる非居住者の範囲について、日本国籍を有しない非居住者については、出入国管理及び難民認定法に規定する「短期滞在」、「外交」又は「公用」の在留資格を有する者等に限る等の見直しがされている。

### 【まとめ】国内取引の分類の手順

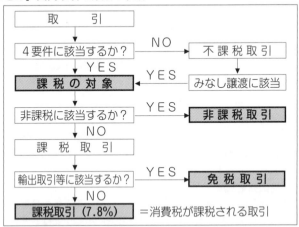

## ■ 設 例

次に掲げる取引のうち、消費税法第7条《輸出免税等》の対象となる取引を選びなさい。

なお、特に指示があるものを除き、与えられた取引はすべて国内取引の要件を満たすものであり、また、譲渡及び貸付け並びに役務の提供についてはそれぞれ対価を収受しているものとする。

(1) 内国法人が商品（課税資産）を外国法人に輸出販売する行為
(2) 内国法人が国外支店において商品（課税資産）を外国法人に販売する行為
(3) 外国法人が日本国内の支店において商品（課税資産）を内国法人に販売する行為
(4) 内国法人が外国法人に土地を1年間貸し付ける行為
(5) 内国法人が輸出する物品の製造のために国内で下請加工をする行為
(6) 内国法人が外国貨物（指定保税地域等における輸入許可前の貨物）を譲渡する行為
(7) 内国法人が外国貨物（指定保税地域等における輸入許可前の貨物）に係る役務の提供（荷役、保管等）を行う行為
(8) 内国法人が指定保税地域等において内国貨物（輸入許可後の貨物）に係る役務の提供（荷役、保管等）を行う行為
(9) 内国法人が指定保税地域内で倉庫を賃貸する行為
(10) 内国法人が国際電話料金を収受する行為
(11) 内国法人が国際郵便料金を収受する行為
(12) 内国法人が国際運輸料金を収受する行為

## ■ 解 説

(1)、(6)、(7)、(8)、(10)、(11)、(12)

(1) 本邦からの輸出として行われる資産の譲渡であり、輸出取引等に該当し、免税取引となる。
(2) 譲渡の時における資産の所在場所が国外支店であり、課税の対象とならないため、不課税取引となる。
(3) 輸出取引等に該当しないため、7.8％課税取引となる。
(4) 非課税取引であり、免税取引とはならない。
(5) 輸出取引等に該当しないため、7.8％課税取引となる。
(6)〜(8) 外国貨物の譲渡・貸付け、外国貨物及び指定保税地域等における内国貨物に係る役務の提供は輸出取引等に該当し、免税取引となる。
(9) 輸出取引等に該当しないため、7.8％課税取引に該当する。
(10)〜(12) 国際通信、国際郵便及び国際運輸は輸出取引等に該当し、免税取引となる。

# 5　課税標準及び税率

●学習のポイント●

1. 国内取引の課税標準に算入すべき金額を理解する。
2. 輸入取引の課税標準に算入される金額を理解する。
3. 消費税の税率を確認する。

## ■ ポイント整理

「課税標準」とは、税率を乗じて税額を算出するための基礎となるものをいう。

### 〔1〕国内取引の課税標準

#### (1) 課税標準額及び課税標準額に対する消費税額の計算

##### ① 割戻し計算（原則）

ここを覚えろ！

① 課税標準額
　イ　7.8%
　　(イ)　課税資産の譲渡等

　　　　$\dfrac{国内課税売上高の}{合計額（税込）} \times \dfrac{100}{110}$

　　(ロ)　特定課税仕入れ
　　(ハ)　(イ)+(ロ)（千円未満切捨）
　ロ　6.24%

　　　　$\dfrac{国内課税売上高の}{合計額（税込）} \times \dfrac{100}{108}$（千円未満切捨）

　ハ　イ＋ロ＝課税標準額
② 課税標準額に対する消費税額
　イ　7.8%　課税標準額×7.8%
　ロ　6.24%　課税標準額×6.24%
　ハ　イ＋ロ＝課税標準額に対する消費税額

② 積上げ計算（特例）

ここを覚えろ！

① 課税標準額

イ 7.8%

(イ) 課税資産の譲渡等

国内課税売上高の　　　　適格請求書等に記載した
合計額（税込）　−　消費税額等

(ロ) 特定課税仕入れ

(ハ) (イ)+(ロ)（千円未満切捨）

ロ 6.24%

$\begin{pmatrix} 国内課税 \\ 売上高の \\ 合計額（税込） \end{pmatrix} - \begin{pmatrix} 適格請求書等に \\ 記載した \\ 消費税額等 \end{pmatrix} \begin{pmatrix} （千円未満 \\ 切捨） \end{pmatrix}$

ハ　イ+ロ＝課税標準額

② 課税標準額に対する消費税額

イ 適格請求書等に記載した
消費税額等の合計額 ×78%

ロ 特定課税仕入れ（千円未満切捨）×7.8%

ハ　イ+ロ＝課税標準額に対する消費税額

### (2) 課税標準額の計算に算入すべき金額

#### ① 原　則

受領した金額

その課税資産等の価格（いわゆる定価）を算入するのではな
く、その譲渡等につき当事者間で授受することとした金額（実
売価格）により計算する。

#### ② 低額譲渡、みなし譲渡の場合

| | | | 算入すべき金額 |
|---|---|---|---|
| 低額譲渡 ※ | 該当する | 棚卸資産以外 | 時　価 |
| | | 棚 卸 資 産 | |
| | 該当せず | 棚卸資産以外 | 受領した金額 |
| | | 棚 卸 資 産 | |
| み な し 譲　渡 | | 棚卸資産以外 | 時　価 |
| | | 棚 卸 資 産 | 時価×50% ⎫ 大き<br>仕入価額(注) ⎭ い方 |

※　低額譲渡に該当するかどうかの判定

イ　棚卸資産以外の資産の場合

「時価×50% ＞ 譲渡金額」となったら低額譲渡

ロ　棚卸資産の場合

時価×50% 　　　＞ 譲渡金額 ｝ どちらかに該当したら
仕 入 価 額(注) ＞ 譲渡金額 ｝ 低額譲渡

（注）製品の場合には製造原価のうち課税仕入れからなる金額

③　資産の譲渡等に類する行為等の場合

| | 算入すべき金額 |
|---|---|
| 代 物 弁 済 | 消滅する債務の額 ｛ +受取った金銭 / −支払った金銭 |
| 負担付き贈与 | 負担付き贈与に係る負担の価額 |
| 現 物 出 資 | 取得株式の時価 |
| 資 産 の 交 換 | 取得資産の時価 ｛ +受取った金銭 / −支払った金銭 |
| 特定受益証券発行信託又は法人課税信託をした場合における資産の移転等 | 資産の移転等の時における価額 |

④　一括譲渡 … 課税資産、軽減対象課税資産、非課税資産のうち２以上の資産を同一の者に対して同時に譲渡した場合

イ　譲渡対価が合理的に区分されている場合

区分された対価の額

ロ　合理的に区分されていない場合（課税資産の譲渡対価の額）

$$\text{一括譲渡の対価の額} \times \frac{\text{課税資産の時価}}{\text{課税資産の時価}+\text{軽減対象課税資産の時価}+\text{非課税資産の時価}}$$

⑤ その他の注意点
### イ 返品等の取扱い

| 原　則 | 売上げは売上げで、返品等は返品等で、それぞれ総額で計上（P.110参照） |
|---|---|
| 例　外 | 継続適用を要件として、売上げから返品等を控除した純額を売上げとして計上 |

### ロ 個別消費税の取扱い

| 酒税、たばこ税、揮発油税、石油石炭税、石油ガス税等 | 課税標準に含める |
|---|---|
| 軽油引取税、ゴルフ場利用税、入湯税 | 課税標準に含めない |

### ハ 資産の貸付けに伴う共益費の取扱い

　　貸し主が借り主から収受する共益費は、資産の貸付けの対価に含まれ、家賃として考える。

### ニ 資産の下取り

| 売上げ | 資産の販売価額の総額を計上（下取価額を控除できない。） |
|---|---|
| 仕入れ | 下取価額を計上 |

$\left\{\begin{array}{l}当社の課税売上高　300万円 \\ 当社の課税仕入高　50万円\end{array}\right.$

### ホ 源泉所得税がある場合

　　源泉徴収前の金額を売上計上する。

### ヘ 未経過固定資産税等の取扱い

　　固定資産等を譲渡した場合に譲渡価額に上乗せした固定資産税等相当額は、租税ではなく、その固定資産等の譲渡対価の一部を構成するものとして取り扱う。

1年分の固定資産税（120万円）

1/1　　　　　　　　　　　　　　　　12/31

　　　　90万円　　　　×　　　30万円

　　　経過分　　　　　　　　未経過分

賦課期日　　　建物売却（5,030万円）

　　　建物の売却代金5,030万円の中には、未経過固定資
　　産税相当額30万円が含まれている。
　　　→未経過固定資産税相当額を含めた5,030万円を売上
　　　計上

### ト　対価が確定していない場合の見積り

　　　資産の譲渡等の対価の額が、その課税期間の末日までの
　　間に確定していない場合には、適正な見積額を売上計上する。
　　　その後の確定額と見積額との差額は、その確定した日の
　　属する課税期間において調整する。

## 〔2〕輸入取引の課税標準

### (1)　課税標準額の計算

| 関税課税価格 ＋ | 消費税以外の個別消費税等 | ＋ 関税額 ＝ 課税標準額 |
| --- | --- | --- |

### ①　関税課税価格とは

取引価格＋運賃＋保険料＝関税課税価格（CIF価格）

### ②　消費税以外の個別消費税等

酒税、たばこ税、揮発油税、地方揮発油税、石油ガス税及
び石油石炭税

## 〔3〕税　率

(1)　現行法（令和元年10月1日〜）　7.8%
(2)　旧　法（平成26年4月1日〜令和元年9月30日）　6.3%
(3)　旧　法（平成9年4月1日〜平成26年3月31日）　4%
(4)　旧　法（〜平成9年3月31日）　3%

## 〔4〕軽減税率

(1)　実施時期

令和元年10月1日

(2) **税　率**

消費税6.24％、地方消費税1.76％

（標準税率は消費税7.8％、地方消費税2.2％）

(3) **対象品目**

・酒類、外食等を除く飲食料品（食品表示法に規定する食品）

・週2回以上発行される新聞

　（定期購読契約に基づくもの）

## ■ 設　例

次の〔資料〕に基づいて、割戻し計算により、電気機器（課税資産）の小売業を営む甲社の当課税期間（令和7年4月1日から令和8年3月31日まで）における課税標準額を計算しなさい。

なお、甲社は、税込経理方式を採用しており、また、与えられた取引はすべて国内取引の要件を満たすものである。

〔資　料〕

1　営業収益に関する収入　　　　　　　　　618,100,000円

　　上記金額は商品の売上高であるが、そのうち100,000円は甲社の役員Aに対して通常の販売価額220,000円（仕入価額99,800円）の商品を販売した際に計上したものである。

2　営業外収益に関する収入

(1)　受取利息　　　　　　　　　　　　　　105,000円

(2)　受取配当金　　　　　　　　　　　　　525,000円

(3)　保養所利用料収入　　　　　　　　　1,260,000円

　　従業員に低額で利用させた際に収受した金額である。

3　特別利益に関する収入

(1)　固定資産売却収入の内訳

　　①　土地売却収入　　　　　　　　　30,000,000円

　　②　建物売却収入　　　　　　　　　15,815,000円

(2)　有価証券売却収入の内訳

　　①　株式売却収入　　　　　　　　　　8,000,000円

　　②　ゴルフ場利用株式売却収入　　　50,000,000円

(3)　火災保険金収入　　　　　　　　　　　840,000円

4　その他の事項

(1)　甲社の役員Bに対して乗用車（時価1,300,000円、取得価額3,675,000円）を贈与した。

(2)　甲社の役員Cに対して商品（通常の販売価額320,000円、仕入価額210,500円）を贈与した。

## ■ 解　説

618,100,000円 − 100,000円 + 220,000円（※ 1 ）+ 1,260,000円
+ 15,815,000円 + 50,000,000円 + 1,300,000円 + 210,500円（※ 2 ）
= 686,805,500円

$$686,805,500円 × \frac{100}{110} = 624,368,636円 \ → \ 624,368,000円$$

（千円未満切捨）

※ 1　220,000円 × 50% = 110,000円　>　100,000円
※ 2　320,000円 × 50% = 160,000円　<　210,500円

## ■ 設　例

　次の資料から、当社の当期（令和 7 年 4 月 1 日から令和 8 年 3 月
31日まで）の課税標準額に対する消費税額を「 1 ．割戻し計算」及
び「 2 ．積上げ計算」により求めなさい。なお、金額は税込みであ
り、内書きは適格請求書に記載した消費税額等の合計額である。
〔資　料〕
　課税売上高　87,195,000円
　上記金額は、軽減税率の対象とならないもの52,635,000円（うち
消費税額等4,785,000円）及び軽減税率の対象となるもの34,560,000
円（うち消費税額等2,560,000円）の合計額である。

## ■ 解　説

1 ．割戻し計算
（1）　課税標準額
①　7.8%

$$52,635,000円 × \frac{100}{110} = 47,850,000円　（千円未満切捨）$$

②　6.24%

$$34,560,000円 × \frac{100}{108} = 32,000,000円　（千円未満切捨）$$

③　① + ② = 79,850,000円
（2）　課税標準額に対する消費税額
①　7.8%
　　47,850,000円 × 7.8% = 3,732,300円
②　6.24%
　　32,000,000円 × 6.24% = 1,996,800円
③　① + ② = 5,729,100円

## 2．積上げ計算

### (1) 課税標準額

① 7.8％

52,635,000円 − 4,785,000円 = 47,850,000円　（千円未満切捨）

② 6.24％

34,560,000円 − 2,560,000円 = 32,000,000円　（千円未満切捨）

③ ① + ② = 79,850,000円

### (2) 課税標準額に対する消費税額

4,785,000円 + 2,560,000円 = 7,345,000円

7,345,000円 × 78％ = 5,729,100円

# 6　納税義務者の原則

重要度A
★★★

●学習のポイント●

納税義務者の原則について確認する。

## ■ ポイント整理

### 〔1〕納税義務者に関する規定の体系

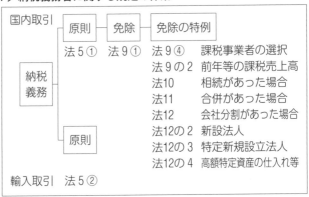

```
国内取引  ┌─原則─┬─免除─┬─免除の特例
          │      法5①  法9①   法9④    課税事業者の選択
    納税   │                   法9の2   前年等の課税売上高
    義務   │                   法10     相続があった場合
          │                   法11     合併があった場合
          │                   法12     会社分割があった場合
          │                   法12の2  新設法人
          │                   法12の3  特定新規設立法人
          └─原則─             法12の4  高額特定資産の仕入れ等

輸入取引  法5②
```

　消費税の税負担者は「消費者」であるが、国内取引について
は「事業者」が消費税を納める義務を負っている。

　ただし、実際にはすべての事業者に納税義務があるのではな
く、小規模事業者の納税事務負担や税務執行面を配慮する観点
から、一定の事業規模以下の小規模事業者については国内取引
の納税義務を免除している。

　さらに、相続があった場合等においては、一定の事業規模以
下であることにより納税義務を免除することが不適当である状
態が生じるため、一定の事業規模以下であっても納税義務を免
除しない、という免除の特例規定が設けられている。

## 〔2〕 納税義務者の原則

### ⑴ 国内取引の納税義務者

> 事業者は、国内において行った課税資産の譲渡等（特定資産の譲渡等を除く。）及び特定課税仕入れにつき、消費税を納める義務がある。

### ⑵ 輸入取引の納税義務者

> 外国貨物を保税地域から引き取る者は、**課税貨物**につき、消費税を納める義務がある。

（注）輸入取引については、原則規定のみであり、免除及び免除の特例規定はない。

# 7 小規模事業者に係る納税義務の免除

重要度A
★★★

### ●学習のポイント●

1. 免税事業者の要件を覚える。
2. 「基準期間における課税売上高」が計算できるようにする。

## ■ ポイント整理

### 〔1〕納税義務の免除

> 事業者のうち、その基準期間における課税売上高が
> 1,000万円以下である者（適格請求書発行事業者を除く。）
> については、原則にかかわらず、消費税を納める義務を
> 免除する。

したがって、納税義務の有無は「基準期間における課税売上高」と「1,000万円」とを比較することにより判定する。

> ・適格請求書発行事業者以外の事業者
>
> 基準期間における $\begin{cases} >1,000万円 & \therefore \quad 納税義務あり \\ \leqq1,000万円 & \therefore \quad 納税義務なし \end{cases}$
> 課 税 売 上 高

「納税義務あり」となった事業者を「課税事業者」
「納税義務なし」となった事業者を「免税事業者」 $\Big\}$ という。

### 〔2〕基準期間における課税売上高の計算

#### (1) 基準期間とは

| 個 人 事 業 者 | | その年の前々年 ※ |
|---|---|---|
| 法人 | 前々事業年度が<br>1 年 の 場 合 | その事業年度の前々事業年度 |
| | 前々事業年度が<br>1年未満の場合 | その事業年度開始の日の2年前の日の前日から1年を経過する日までの間に開始した各事業年度を合わせた期間 |

※ 個人事業者の場合は、年の途中で開業した場合でも、
常に前々年（1月1日〜12月31日）が基準期間となる。

## （例）1年決算法人の場合

## （例）半年決算法人の場合

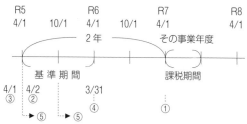

その事業年度開始の日の　2年前の日の　前日から　1年を経過する日
　①(R7.4.1)　　　②(R5.4.2)　③(R5.4.1)　　④(R6.3.31)
までの間に　開始した各事業年度　を合わせた期間
　　　　　　⑤(R5.4.1～)、(R5.10.1～)

## （例）個人事業者が開業した場合

基準期間における課税売上高がゼロ
のため、納税義務は免除される。

(2) **基準期間における課税売上高の計算**
① **個人事業者、基準期間が１年である法人の場合**

| 基準期間中の課税売上高（税抜） | − | 基準期間中の課税売上返還等（税抜） | = | 基準期間における課税売上高 |
|---|---|---|---|---|

上記算式から、基準期間における課税売上高とは「基準期間中の税抜の純課税売上高」である。

**ここを覚えろ！**

**●基準期間における課税売上高の計算パターン**
(1) 課税売上高（税抜）

国内課税売上高（税込）$\times \dfrac{100}{110}$ ＋免税売上高

(2) 課税売上返還等（税抜）

国内課税売上返還等(税込)$\times \dfrac{100}{110}$ ＋免税売上返還等

(3) (1)−(2)＝基準期間における課税売上高

② **基準期間が１年でない法人の場合**

| 上記①で計算した残額 | $\times$ | $\dfrac{12}{\text{基準期間の月数 ※}}$ | = | 基準期間における課税売上高 |
|---|---|---|---|---|

※　基準期間の月数は、暦に従って計算し、１月未満は１月とカウントする。

(注) 各項目において、軽減税率が適用される取引がある場合には、税率の異なるごとに税抜処理を行う。

## ■ 設 例

次の〔資料〕から、当社の当期（令和7年4月1日から令和8年3月31日まで）の基準期間における課税売上高を計算しなさい。

〔資　料〕

基準期間（令和5年4月1日から令和6年3月31日まで）における資産の譲渡等の状況は、次のとおりである。なお、基準期間は課税事業者に該当している。また、与えられた取引はすべて国内取引の要件を満たすものである。

| 取引の状況 | 自令和5年4月1日<br>至令和6年3月31日 |
|---|---|
| Ⅰ　資産の譲渡等の金額 | 280,525,000円 |
| 　Ⅰのうち非課税取引に係るもの | 7,100,000円 |
| 　Ⅰのうち免税取引に係るもの | 13,000,000円 |
| Ⅱ　Ⅰの売上げに係る対価の返還等の金額 | 2,390,300円 |
| 　Ⅱのうち非課税取引に係るもの | 0円 |
| 　Ⅱのうち免税取引に係るもの | 118,800円 |

## ■ 解 説

(1) **課税売上高**

$$(280,525,000円 - 7,100,000円 - 13,000,000円) \times \frac{100}{110}$$

$$+ 13,000,000円 = 249,750,000円$$

(2) **課税売上返還等**

$$(2,390,300円 - 118,800円) \times \frac{100}{110} + 118,800円 = 2,183,800円$$

(3) **基準期間における課税売上高**

$$(1) - (2) = 247,566,200円$$

# 8 課税事業者の選択

●学習のポイント●

「課税事業者の選択」の規定の内容を理解する。

## ■ ポイント整理

免税事業者は、申告を行うことができないため、還付が生じる場合であっても、実際には還付を受けることができない。このような状態を救済するため、免税事業者が自ら課税事業者を選択することにより、申告を行い、還付を受けることができることとした。このように、免税事業者が自らの選択により課税事業者となれる制度を「課税事業者の選択」という。

### 〔1〕消費税課税事業者選択届出書

事業者が、消費税課税事業者選択届出書をその納税地の所轄税務署長に提出した場合には、その「提出日の属する課税期間」の「翌課税期間（※）以後の課税期間」から、納税義務は免除されない。

※ 「提出日の属する課税期間」が、次の課税期間の場合には、翌課税期間からではなく、その提出をした課税期間から課税事業者となる。

| | |
|---|---|
| 事業開始等 | 事業者が事業を開始した日の属する課税期間 （例）開業1年目、設立第1期 |
| | 事業者が国内において課税資産の譲渡等に係る事業を開始した日の属する課税期間 （例）社会福祉法人、外国法人 |
| 相　続 | 相続により「課税事業者の選択をしていた被相続人の事業」を承継した場合の、その相続があった日の属する課税期間 |
| 吸収合併 | 吸収合併により「課税事業者の選択をしていた被合併法人の事業」を承継した場合の、その吸収合併があった日の属する課税期間 |

| 吸収分割 | 吸収分割により「課税事業者の選択をしていた分割法人の事業」を承継した場合の、その吸収分割があった日の属する課税期間 |
|---|---|

## 〔2〕消費税課税事業者選択不適用届出書

> 課税事業者を選択した事業者が、「その規定の適用を受けることをやめようとするとき」又は「事業を廃止したとき」は、**消費税課税事業者選択不適用届出書**を、その納税地の所轄税務署長に提出しなければならない。

### ⑴ 不適用届出書の提出制限

適用をやめようとする場合には、選択届出書を提出した課税期間の「翌課税期間」（選択届出書の効力が生じた初めての課税期間）の初日から**2年**を経過する日の属する課税期間の初日以後でなければ、不適用届出書を提出することはできない。（＝2年継続適用）

### ⑵ 不適用となる期日

不適用届出書の提出日の属する課税期間の末日の翌日以後は、課税事業者の選択の効力はなくなる。

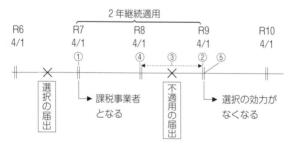

選択届出書を提出した課税期間の 翌課税期間の初日から 2年を経過する日の
　　　　　　　　　　　　　　　　①(R7.4.1)　　　　　　②(R9.3.31)
属する課税期間の 初日以後 でなければ、不適用届出書を提出することはできない。
③(R8.4.1〜R9.3.31)④(R8.4.1〜)
　不適用届出書の提出日の属する課税期間の末日の翌日以後は、課税事業者の選択
　　　　　　　　　　　　　　　　⑤(R9.4.1〜)
の効力はなくなる。

### 〔3〕宥恕規定

　　やむを得ない事情があるため、その課税期間の初日の前日までに届出書を提出できなかった場合には宥恕規定がある。

　　この宥恕規定の適用を受けようとする場合には、「消費税課税事業者選択（不適用）届出に係る特例承認申請書」を提出しなければならない。

### 〔4〕調整対象固定資産の仕入れ等を行った場合

　　上記〔2〕の届出書の提出制限（2年継続適用）の期間中に調整対象固定資産の仕入れ等を行った場合、その仕入れ等の属する課税期間の初日から3年を経過する日の属する課税期間の初日以後でなければ、不適用届出書を提出することができない。

8

課税事業者の選択

| 学 習 度 チェック |
|---|
|  |
|  |
|  |
|  |
|  |

# 9　前年等の課税売上高による特例

重要度B
★★

## ●学習のポイント●

1．特定期間を理解する。
2．「特定期間における課税売上高」が計算できるようにする。

## ■ ポイント整理

### 〔1〕納税義務の免除の特例

　　前年等の開始の日以後6月の期間（特定期間）における課税売上高が1,000万円を超えるときは、その年又は事業年度については、課税事業者となる。

| 特定期間における 課税売上高 | ＞ 1,000万円 | ∴ 納税義務あり |
|---|---|---|
|  | ≦ 1,000万円 | ∴ 納税義務なし |

### 〔2〕特定期間とは

#### (1) 個人事業者

　　⇨　その年の前年1月1日から6月30日までの期間

#### (2) 法人（前事業年度が7月超の場合）

　　⇨　その前事業年度開始の日以後6月の期間

48

## 〔3〕特定期間における課税売上高の計算

### (1) 原 則

$$\begin{array}{c}\text{特定期間中の}\\\text{課税売上高}\\\text{(税抜)}\end{array} - \begin{array}{c}\text{特定期間中の}\\\text{課税売上返還等}\\\text{(税抜)}\end{array} = \begin{array}{c}\text{特定期間における}\\\text{課税売上高}\end{array}$$

上記算式から、特定期間における課税売上高とは「特定期間中の税抜の純課税売上高」である。

※ 年換算等の調整はしないことに留意する。

### (2) 特 例

特定期間中に支払った支払明細書に記載すべき一定の**給与等**（所得税法第231条①）の支払額を用いることができる。

※ 令和6年10月1日以後に開始する課税期間から、国外事業者については、特定期間における1,000万円の判定を、給与等の支払額により行うことはできないこととされている。

```
╭─ ここを覚えろ！
```

### ●特定期間における課税売上高の計算パターン

(1) 課税売上高（税抜）

国内課税売上高（税込） $\times \dfrac{100}{110}$ ＋免税売上高

(2) 課税売上返還等（税抜）

$\begin{array}{c}\text{国内課税売上}\\\text{返還等（税込）}\end{array} \times \dfrac{100}{110}$ ＋免税売上返還等

(3) (1)−(2)＝特定期間における課税売上高

※ 計算パターンは基本的に基準期間における課税売上高と同じである。

## 10 相続があった場合の納税義務の免除の特例

重要度B
★★

● 学習のポイント ●

相続があった場合の納税義務の判定手順について理解する。

### ■ ポイント整理

前述のように、納税義務の有無は、その事業者の基準期間における課税売上高が1,000万円を超えるかどうかにより判定を行う。

しかし、相続により事業を承継した場合には、事業規模が拡大するため、その事業者の基準期間における課税売上高が1,000万円以下であっても「小規模事業者」になるとは限らない可能性がある。

そこで、課税の公平を図る観点から、相続があった場合には、「納税義務の免除の特例」の規定に基づいて判定を行うこととなる。

### 〔1〕相続年の納税義務の判定

手順(1)　相続人の「基準期間における課税売上高」で判定

① 1,000万円超の場合　　∴　納税義務あり（判定終了）
② 1,000万円以下の場合　→　手順(2)へ

手順(2)　被相続人の「基準期間における課税売上高」で判定

① 1,000万円超の場合

　　1月1日　〜　相続の日　　　　納税義務なし ⎫
　　相続の日の翌日　〜　12月31日　　納税義務あり ⎬ ※
　　　　　　　　　　　　　　　　　　　　　　　　⎭

　　※　納税義務は事業承継した日から発生することとなるため、納税義務の判定も相続の前後に分けて行う。

② 1,000万円以下の場合　　∴　納税義務なし

〔2〕相続年の翌年・翌々年の納税義務の判定

| 手順(1) | 相続人の「基準期間における課税売上高」で判定 |
|---|---|

① **1,000万円超の場合**　　∴　納税義務あり（判定終了）

② **1,000万円以下の場合**　→　手順(2)へ

| 手順(2) | 相続人の「基準期間における課税売上高」 | ＋ | 被相続人の「基準期間における課税売上高」 | で判定 |
|---|---|---|---|---|

① **1,000万円超の場合**　　∴　納税義務あり

② **1,000万円以下の場合**　∴　納税義務なし

## 〔3〕事業場を分割して承継した場合

　　被相続人の「基準期間における課税売上高」のうち、相続人が相続した事業場に係る部分の課税売上高を使用して判定を行う。

## 11 合併があった場合の納税義務の免除の特例
重要度B
★★

●学習のポイント●

合併があった場合の納税義務の判定手順について理解する。

## ■ ポイント整理

　　合併があった場合においても、相続があった場合と同様に、「納税義務の免除の特例」の規定に基づいて判定を行う。

　　合併には「吸収合併」と「新設合併」の二形態がある。

| 吸収合併 | 複数の法人が合併することにより、一部の法人（＝合併法人）が存続し、他の法人（＝被合併法人）が消滅する形態 |
| --- | --- |
| 新設合併 | 複数の法人が合併することにより、当該合併した法人（＝被合併法人）が消滅し、新たに法人（＝合併法人）が設立される形態 |

### 〔1〕吸収合併の場合

#### (1) 合併事業年度の納税義務の判定

手順①　合併法人の「基準期間における課税売上高」で判定

　イ　1,000万円超の場合　　∴　納税義務あり（判定終了）
　ロ　1,000万円以下の場合　→　手順②へ

手順②　被合併法人の「基準期間に対応する期間（※）
　　　　における課税売上高」で判定

　イ　1,000万円超の場合
　　　事業年度開始の日　～　合併前日　　納税義務なし ⎫
　　　合併の日　～　事業年度終了の日　納税義務あり ⎬ ※
　　　　　　　　　　　　　　　　　　　　　　　　　　　⎭
　　　※　納税義務は事業承継した日から発生することとなるた
　　　　め、納税義務の判定も合併の前後に分けて行う。
　ロ　1,000万円以下の場合　　∴　納税義務なし

※　基準期間に対応する期間とは？

> 合併法人の合併があった日の属する事業年度開始の日の
> 2年前の日の前日から1年を経過する日までの間に終了し
> た被合併法人の各事業年度をいう。

## (2)　翌事業年度、翌々事業年度の納税義務の判定

| 手順①　合併法人の「基準期間における課税売上高」で判定 |
| --- |

イ　**1,000万円超の場合**　∴　納税義務あり（判定終了）

ロ　**1,000万円以下の場合**　→　手順②へ

| 手順② | 合併法人の「基準期間におけ + る課税売上高」 | 被合併法人の「基準期間に対応する期間（※）における課税売上高」 | で判定 |
| --- | --- | --- | --- |

イ　**1,000万円超の場合**　∴　納税義務あり

ロ　**1,000万円以下の場合**　∴　納税義務なし

※　基準期間に対応する期間とは？

> 合併法人のその事業年度の基準期間の初日から1年を経
> 過する日までの間に終了した被合併法人の各事業年度をい
> う。

〔2〕 新設合併の場合

### (1) 合併事業年度の納税義務の判定

> 被合併法人の「基準期間に対応する期間（※）における
> 課税売上高」のいずれかで判定

**イ** 1,000万円超の場合　　∴　納税義務あり（判定終了）

**ロ** 1,000万円以下の場合　→　P.60へ

### (2) 翌事業年度、翌々事業年度の納税義務の判定

> 手順①　合併法人の「基準期間における課税売上高」で判定

**イ** 1,000万円超の場合　　∴　納税義務あり（判定終了）

**ロ** 1,000万円以下の場合　→　手順②へ

| 手順② | 合併法人の「基準期間における課税売上高」（実額） | ＋ | 各被合併法人の「基準期間に対応する期間（※）における課税売上高」の合計額 | で判定 |

**イ** 1,000万円超の場合　　∴　納税義務あり

**ロ** 1,000万円以下の場合
　　　　翌事業年度　　→　P.60へ
　　　　翌々事業年度　→　∴　納税義務なし

※　基準期間に対応する期間とは？

> 合併法人のその事業年度開始の日の2年前の日の前日から1年を経過する日までの間に終了した各被合併法人の各事業年度をいう。

(注) 翌事業年度の納税義務の判定
　　　翌事業年度については、合併法人の「基準期間における課税売上高」がないため、各被合併法人の「基準期間に対応する期間における課税売上高」の合計額で判定する。

11

合併があった場合の納税義務の免除の特例

# 12 会社分割があった場合の納税義務の免除の特例

重要度B
★★

● 学習のポイント ●

会社分割があった場合の納税義務の判定手順について理解する。

## ポイント整理

会社分割を利用した課税回避の防止等をするため、分割をした一定の者に対しては、納税義務の判定にあたり、特例規定を設けることにより、制限を加えている。

会社分割には「分割等」と「吸収分割」の二形態がある。

| 分 割 等 | 法人（＝新設分割親法人）が新たに法人（＝新設分割子法人）を設立し、その設立した法人に事業の一部を引き継がせる形態 |
| --- | --- |
| 吸 収 分 割 | 法人（＝分割法人）が既存の法人（＝分割承継法人）に事業の一部を引き継がせる形態 |

なお、吸収分割については、分割承継法人についてのみ特例規定が設けられており、分割法人については特例規定は設けられていない。

### 〔1〕 新設分割子法人の場合

#### (1) 分割事業年度の納税義務の判定

新設分割親法人の「基準期間に対応する期間（※）における課税売上高」で判定

**イ 1,000万円超の場合** ∴ 納税義務あり
**ロ 1,000万円以下の場合** → P.60へ

※ 基準期間に対応する期間とは？

新設分割子法人の分割等があった日の属する事業年度開始の日の2年前の日の前日から1年を経過する日までの間に終了した新設分割親法人の各事業年度をいう。

(2) **分割事業年度の翌事業年度の納税義務の判定**

> 新設分割親法人の「基準期間に対応する期間（※）における課税売上高」で判定

イ　1,000万円超の場合　∴　納税義務あり
ロ　1,000万円以下の場合　→　P.60へ

※　基準期間に対応する期間とは？

> 新設分割子法人のその事業年度開始の日の2年前の日の前日から1年を経過する日までの間に<u>終了した</u>新設分割親法人の各事業年度をいう。

(3) **分割事業年度の翌々事業年度以後の納税義務の判定**

> 手順①　新設分割子法人の「基準期間における課税売上高」で判定

イ　1,000万円超の場合　∴　納税義務あり（判定終了）
ロ　1,000万円以下の場合　→　手順②へ

> 手順②　新設分割子法人の「基準期間における課税売上高」＋新設分割親法人の「基準期間に対応する期間（※）における課税売上高」で判定

　（注）基準期間の末日において、新設分割子法人が特定要件
　　　　（P.58）に該当する場合に適用される。

イ　1,000万円超の場合　∴　納税義務あり
ロ　1,000万円以下の場合　∴　納税義務なし

※　基準期間に対応する期間とは？

> 新設分割子法人のその事業年度開始の日の2年前の日の前日から1年を経過する日までの間に<u>開始した</u>新設分割親法人の各事業年度をいう。

〔2〕新設分割親法人の場合

(1) 分割事業年度の翌々事業年度以後の納税義務の判定

> 手順①　新設分割親法人の「基準期間における課税売上
> 　　　　高」で判定

イ　**1,000万円超の場合**　∴　納税義務あり（判定終了）
ロ　**1,000万円以下の場合**　→　手順②へ

> 手順②　新設分割親法人　　新設分割子法人の
> 　　　　の「基準期間にお　＋　「基準期間に対応　で判定
> 　　　　ける課税売上高」　　する期間（※1）に
> 　　　　　　　　　　　　　　おける課税売上高」

（注）基準期間の末日において、新設分割子法人が特定要件
　　　（※2）に該当する場合に適用される。

イ　**1,000万円超の場合**　∴　納税義務あり
ロ　**1,000万円以下の場合**　∴　納税義務なし

※1　基準期間に対応する期間とは？

> 　新設分割親法人のその事業年度開始の日の2年前の日の
> 前日から1年を経過する日までの間に開始した新設分割子
> 法人の各事業年度をいう。

※2　特定要件

> 　新設分割子法人の発行済株式（自己株式を除く）の総数
> の100分の50超が、新設分割親法人及びその特殊関係者の
> 所有に属する場合等をいう。

〔3〕分割承継法人の場合

(1) **吸収分割事業年度の納税義務の判定**

> 手順① 分割承継法人の「基準期間における課税売上高」
>     で判定

イ 1,000万円超の場合　∴ 納税義務あり（判定終了）
ロ 1,000万円以下の場合　→　手順②へ

> 手順② 分割法人の「基準期間に対応する期間（※）にお
>     ける課税売上高」で判定

イ 1,000万円超の場合
　事業年度開始の日 ～ 吸収分割前日　納税義務なし ⎫
　吸収分割の日 ～ 事業年度終了の日　納税義務あり ⎭ ※
　※ 納税義務は事業承継した日から発生することとなるた
　　め、納税義務の判定も吸収分割の前後に分けて行う。
ロ 1,000万円以下の場合　∴ 納税義務なし

(2) **吸収分割事業年度の翌事業年度の納税義務の判定**

> 手順① 分割承継法人の「基準期間における課税売上高」
>     で判定

イ 1,000万円超の場合　∴ 納税義務あり（判定終了）
ロ 1,000万円以下の場合　→　手順②へ

> 手順② 分割法人の「基準期間に対応する期間（※）にお
>     ける課税売上高」で判定

イ 1,000万円超の場合　∴ 納税義務あり
ロ 1,000万円以下の場合　∴ 納税義務なし

※ 基準期間に対応する期間とは？

> 分割承継法人のその事業年度開始の日の2年前の日の前
> 日から1年を経過する日までの間に終了した分割法人の各
> 事業年度をいう。

12

会社分割があった場合の納税義務の免除の特例

# 13 新設法人の納税義務の免除の特例

重要度B
★★

●学習のポイント●

新設法人の納税義務の判定手順について理解する。

## ■ ポイント整理

消費税の納税義務の判定は「基準期間における課税売上高」により行うが、新たに設立した法人には、その基準期間が存在しない。そこで、このような場合には、その法人の資本金額により、納税義務を判定することとなる。

### 〔1〕新設法人の納税義務の判定

```
手順(1)  基準期間なし
手順(2)  期首資本金額
       ┌ XXXX円≧1,000万円  ∴  納税義務あり
       └ XXXX円<1,000万円  →  P.62へ
```

### 〔2〕判定に関する留意点

#### (1) 個人事業者には適用なし

この規定は、法人についてのみ適用があるものであり、個人事業者の事業開始年及びその翌年については、特に規定していない。

#### (2) 社会福祉法人等

この規定は、非課税資産の譲渡等を行うことを目的として設立された社会福祉法人等については、適用されない。

#### (3) 他の特例との関連

この規定による判定は、「新設合併」「新設分割子法人」の規定の適用がある場合には、その適用後に行う。

#### (4) 3年目以後の取扱い

3年目以後の資本金額が1,000万円以上であっても、この適用はなく、「基準期間における課税売上高」により判定する。

## 〔3〕調整対象固定資産の仕入れ等を行った場合

　　新設法人が、その基準期間がない課税期間中に調整対象固定資産の仕入れ等を行った場合、その仕入れ等の属する課税期間の初日から3年を経過する日の属する課税期間までの各課税期間における課税資産の譲渡等及び特定課税仕入れについては、納税義務は免除されない。

## 〔4〕外国法人が国内において事業を開始した場合

　　その事業年度の基準期間がある外国法人が、その基準期間の末日の翌日以後に国内において課税資産の譲渡等に係る事業を開始した場合には、その事業年度については、基準期間がないものとみなすこととされている。

※　この規定は、令和6年10月1日以後に開始する課税期間から適用される。

# 14 特定新規設立法人の納税義務の免除の特例

重要度B
★★

● 学習のポイント ●

特定新規設立法人の納税義務の判定手順について理解する。

## ポイント整理

### 〔1〕特定新規設立法人の納税義務の判定

> 手順(1)　基準期間なし
> 手順(2)　期首資本金額　XXXX円　＜　1,000万円
> 手順(3)①　特定要件　×××　＞　50%　　　　∴満たす
> 　　　　②　基準期間に相当する期間における課税売上高
> 　　　　　　×××円　＞　5億円　　　　∴納税義務あり

※　手順(3)②について

令和6年10月1日以後に開始する課税期間から、基準期間に相当する期間における課税売上高として一定の金額が5億円を超えていること又は基準期間に相当する期間における売上金額、収入金額その他の収益の額の合計額が、国外におけるものも含め50億円を超えていること、が要件とされている。

### 〔2〕判定に関する留意点

#### (1) 個人事業者には適用なし

この規定は、法人についてのみ適用があるものであり、個人事業者の事業開始年及びその翌年については、特に規定していない。

#### (2) 適用されない場合

①　新設法人及び社会福祉法人等

②イ　課税事業者を選択している法人

　ロ　前年等の課税売上高による特例の適用を受ける法人

　ハ　新設合併があった場合の特例の適用を受ける法人

　ニ　新設分割子法人の特例の適用を受ける法人

　ホ　新設法人が調整対象固定資産の仕入れ等を行った場合の特例の適用を受ける法人

(3) **3年目以後の取扱い**

　3年目以後の資本金額が1,000万円未満であっても、この適用はなく、「基準期間における課税売上高」により判定する。

〔3〕**調整対象固定資産の仕入れ等を行った場合**

　特定新規設立法人が、その基準期間がない事業年度に含まれる各課税期間中に調整対象固定資産の仕入れ等を行った場合、その仕入れ等の属する課税期間から3年を経過する日の属する課税期間までの各課税期間における課税資産の譲渡等及び特定課税仕入れについては、納税義務は免除されない。

〔4〕**特定要件**

　新規設立法人の発行済株式又は出資（自己の株式又は出資を除く。）の総数又は総額の**50%超**が他の者により直接又は間接に保有される場合等であることをいう。

〔5〕**解散法人がある場合**

　新規設立法人がその新設開始日において特定要件に該当し、かつ、他の者と一定の特殊な関係にある法人であったもので、その新規設立法人の設立の日前1年以内又はその新設開始日前1年以内に解散したもののうち、解散の日においてその特殊な関係にある法人に該当していたものがある場合には、その解散法人はその特殊な関係にある法人とみなして、特定新規設立法人の納税義務の免除の特例を適用する。

〔6〕**外国法人が国内において事業を開始した場合**

　その事業年度の基準期間がある外国法人が、その基準期間の末日の翌日以後に国内において課税資産の譲渡等に係る事業を開始した場合には、その事業年度については、基準期間がないものとみなすこととされている。

※　この規定は、令和6年10月1日以後に開始する課税期間から適用される。

## 〔7〕基準期間に相当する期間

| | | |
|---|---|---|
| 判定対象者 | 個　人 | 新規設立法人の新設開始日（※）の2年前の日の前日から1年を経過する日までの間に到来する12月31日の属する年　etc. |
| | 法　人 | 新規設立法人の新設開始日（※）の2年前の日の前日から1年を経過する日までの間に終了した判定対象者の各事業年度を合わせた期間　etc. |

※　新設開始日
　　基準期間がない事業年度開始の日をいう。

## 〔8〕基準期間に相当する期間における課税売上高

| | | |
|---|---|---|
| 判定対象者 | 個　人 | $\underbrace{課税売上高（税抜）-課税売上返還等（税抜）}_{「残額」}$ |
| | 法　人 | 上記の「残額」$\times \dfrac{12}{\text{基準期間相当期間の月数(注①)}}$　（注②③） |

注①　基準期間相当期間の月数
　　　1月未満は1月とする。
注②　判定対象者が法人である場合には、原則として上記の残
　　　額を基準期間相当期間の月数で除し、12を乗ずる。
注③　相当する期間が一定の場合は、年換算処理はない。

**14**

特定新規設立法人の納税義務の免除の特例

## 15 高額特定資産を取得した場合等 の納税義務の免除の特例

重要度B
★★

●学習のポイント●

1. 高額特定資産を理解する。
2. 高額特定資産を取得した場合の納税義務の判定について理解
する。

### ■ ポイント整理

〔1〕納税義務の免除の特例

　　課税事業者が簡易課税又は2割特例の適用を受けない課税期間中に高額特定資産の仕入れ等を行った場合（注①）には、当該高額特定資産の仕入れ等の日の属する課税期間の翌課税期間から、当該高額特定資産の仕入れ等の日の属する課税期間（注②）の初日以後3年を経過する日の属する課税期間までの各課税期間においては、納税義務は免除されない。

課税事業者

| 第1期 | 第2期 | 第3期 | 第4期 |
|---|---|---|---|
| ×1 課税事業者 | ×2 課税事業者 | ×3 課税事業者 | ×4 課税事業者 ×5 |
| 4/1 原則課税 | 4/1 原則課税 | 4/1 原則課税 | 4/1 原則課税 4/1 |

高額特定資産
の仕入れ等

注① 自己建設高額特定資産にあっては、その建設等に要した一定の費用の累計額が1,000万円以上となった場合
注② 自己建設高額特定資産にあっては、その建設等が完了した日の属する課税期間

〔2〕高額特定資産の仕入れ等

　　国内における高額特定資産（一の取引単位につき、課税仕入れ等に係る支払対価の額（税抜）が1,000万円以上の棚卸資産又は調整対象固定資産）の課税仕入れ又は課税貨物の保税地域からの引取りをいう。

## 〔3〕自己建設高額特定資産

　他の者との契約に基づき、又はその事業者の棚卸資産若しく
は調整対象固定資産として自ら建設等をした高額特定資産をい
う。

## 〔4〕棚卸資産の調整を受けた場合

　事業者が、高額特定資産である棚卸資産等について棚卸資産
の調整（免税事業者が課税事業者となった場合）の適用を受け
た場合には、その適用を受けた課税期間の翌課税期間から、そ
の適用を受けた課税期間の初日以後3年を経過する日の属する
課税期間までの各課税期間においては、納税義務は免除されな
い。

## 〔5〕金地金等の仕入れ等を行った場合

　課税事業者が簡易課税又は2割特例の適用を受けない課税期
間中に金地金等の仕入れ等を行った場合において、その課税期
間中の金地金等の取得の金額の合計額（年額）が税抜200万円
以上であるときは、その仕入れ等を行った課税期間の翌課税期
間から、その仕入れ等を行った課税期間の初日以後3年を経過
する日の属する課税期間までの各課税期間においては、納税義
務は免除されない。

　また、この金地金等の仕入れ等については、棚卸資産に係る
消費税額の加算調整を受ける場合を含む。

# 16　課税期間

重要度B
★★

●学習のポイント●

1．課税期間の原則を確認する。
2．課税期間の短縮及び変更の要件を覚える。
3．課税期間を短縮又は変更した場合に生じる「みなし課税期間」
　を理解する。

## ■ ポイント整理

　「課税期間」とは、消費税の納付税額を計算する期間である。
課税期間については、原則と特例の取扱いがある。

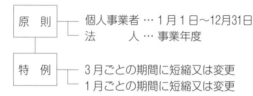

原　則 ── 個人事業者 … 1月1日～12月31日
　　　　└ 法　　　人 … 事業年度

特　例 ── 3月ごとの期間に短縮又は変更
　　　　└ 1月ごとの期間に短縮又は変更

### 〔1〕課税期間の原則

|  | 課　税　期　間 |
|---|---|
| 個人事業者 | 1月1日から12月31日までの期間（※1） |
| 法　　人 | 事業年度（※2） |

※1　個人事業者が新たに事業を開始した場合又は年の途中で事
　　業を廃止した場合であっても、課税期間は1月1日から12月
　　31日までの期間となる。

※2　法人が新たに設立された場合
　　の設立後の最初の課税期間　… 設立の日　～　その事業年
　　　　　　　　　　　　　　　　　　　　　　度終了の日

　　法人が解散しその清算が結了
　　した場合の最後の課税期間　… その事業年～清算結了日
　　　　　　　　　　　　　　　　度開始の日

〔2〕課税期間の特例

　　還付を受ける事業者が、早期に還付申告をすることができる
ようにするため、下記のように、課税期間を短縮又は変更する、
という特例が設けられている。

| | | 課 税 期 間 |
|---|---|---|
| 個 人 事 業 者 | 3月ごとの期間に短縮又は変更 | 1月1日から3月31日までの期間<br>4月1日から6月30日までの期間<br>7月1日から9月30日までの期間<br>10月1日から12月31日までの期間 |
| | 1月ごとの期間に短縮又は変更 | 1月1日以後1月ごとに区分した各期間 |
| 法 人 | 3月ごとの期間に短縮又は変更 | その事業年度をその開始の日以後3月ごとに区分した各期間（最後に3月未満の期間を生じたときはその3月未満の期間） |
| | 1月ごとの期間に短縮又は変更 | その事業年度をその開始の日以後1月ごとに区分した各期間（最後に1月未満の期間を生じたときはその1月未満の期間） |

〔3〕消費税課税期間特例選択・変更届出書

(1) 届出書の効力

> 課税期間の特例は、「消費税課税期間特例選択・変更届
> 出書」をその納税地の所轄税務署長に提出した場合に適用
> される。その届出書の効力は、その「提出日の属する期間」
> の「翌期間（※）の初日以後」から発生する。

※ 「提出日の属する期間」が、次の期間の場合には、翌期間か
らではなく、その提出をした期間から適用される。

| | |
|---|---|
| 事業開始等 | 事業者が事業を開始した日の属する期間<br>（例）開業1年目、設立第1期 |
| | 事業者が国内において課税資産の譲渡等に係る事業を開始した日の属する期間<br>（例）社会福祉法人、外国法人 |
| 相　　続 | 相続により「課税期間の特例の選択をしていた被相続人の事業」を承継した場合の、その相続があった日の属する期間 |
| 吸収合併 | 吸収合併により「課税期間の特例の選択をしていた被合併法人の事業」を承継した場合の、その吸収合併があった日の属する期間 |
| 吸収分割 | 吸収分割により「課税期間の特例の選択をしていた分割法人の事業」を承継した場合の、その吸収分割があった日の属する期間 |

(2) みなし課税期間

次に掲げる場合には、それぞれの期間を一の課税期間とみなす。

① 個人事業者が選択届出書を提出した場合

…その提出日の属する年の1月1日から届出の効力の生じた日の前日までの期間

② 法人が選択届出書を提出した場合

…その提出日の属する事業年度開始の日から届出の効力の生じた日の前日までの期間

③ 3月短縮の選択届出書を提出していた個人事業者及び法人が1月短縮の変更届出書を提出した場合

…その提出日の属する3月ごとの期間の開始の日から届出の効力の生じた日の前日までの期間

## 〔4〕消費税課税期間特例選択不適用届出書
### (1) 届出書の提出

> 「課税期間の特例の適用を受けることをやめようとする**とき**」又は「**事業を廃止したとき**」は、「**消費税課税期間特例選択不適用届出書**」をその納税地の所轄税務署長に提出しなければならない。

① 変更届出書又は不適用届出書の提出制限

　選択届出書の効力が生ずる日から**2年を経過する日**の属する期間の初日（※）以後でなければ、変更届出書又は不適用届出書を提出することはできない。

※　3月の短縮　→　1月の短縮へ変更する場合
　…選択届出書の効力の生じた日から2年を経過する日の属する月の初日

　　1月の短縮　→　3月の短縮へ変更する場合
　…選択届出書の効力の生じた日から2年を経過する日の属する月の前々月の初日

② 不適用となる期日

　**不適用届出書の提出日の属する課税期間の末日の翌日**以後は、課税期間の特例の効力はなくなる。

### (2) みなし課税期間

　次に掲げる場合には、それぞれの期間を**一の課税期間**とみなす。

① 3月に短縮した個人事業者が1月1日から9月30日までの間に不適用届出書を提出した場合、又は1月に短縮した個人事業者が1月1日から11月30日までの間に不適用届出書を提出した場合

　…不適用届出書を提出した課税期間の末日の翌日（効力がなくなった日）からその年の12月31日までの期間

② 3月に短縮した法人が事業年度開始の日から3月ごとの期間の最後の期間の直前期間の末日までの間に不適用届出書を提出した場合、又は1月に短縮した法人が事業年度開始の日から1月ごとの期間の最後の期間の直前期間の末日までの間に不適用届出書を提出した場合

　…不適用届出書を提出した課税期間の末日の翌日（効力がなくなった日）からその事業年度終了の日までの期間

## 【課税期間の短縮と不適用】

（例）原則→短縮（3か月）→原則

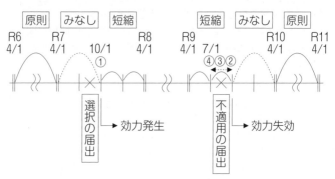

選択届出書の 効力が生ずる日 から 2年を経過する日 の
　　　　　　 ①（R7.10.1）　　　　　②（R9.9.30）
属する期間 の 初日以後 でなければ、不適用届出書を提出
③（R9.7.1～9.30）④（R9.7.1）
することができない。

16

課税期間

# 17 資産の譲渡等の時期

## ●学習のポイント●

1. 原則の「引渡基準」と特例の「延払基準」「工事進行基準」「現金基準」の税法上の取扱いの違いを押さえる。
2. リース譲渡について「延払基準」の方法により、売上計上を繰り延べる方法を理解する。
3. 工事の請負について「工事進行基準」の方法により、売上計上を前倒しする方法を理解する。
4. 個人事業者について「現金基準」の方法により売上計上できることを理解する。

## ■ ポイント整理

「資産の譲渡等の時期」つまり「売上げの計上時期」については、原則と特例の取扱いがある。

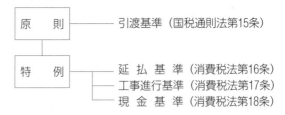

### 〔1〕資産の譲渡等の時期の原則

資産の譲渡等の時期の原則は**引渡しの日**である。

### 〔2〕延払基準

事業者は、「リース譲渡（※1）」について、一定の要件（※2）を満たす場合には、**延払基準**（※3）により売上げを計上することができる。

※1 リース譲渡とは？
　　所得税法又は法人税法に規定するリース取引（ファイナンス・リースによる資産の引渡し）をいう。

※2 適用要件

(1) リース譲渡を行っていること。

(2) そのリース譲渡に係る対価の額につき、所得税法又は法人税法上の延払基準の方法により経理することとしていること。

(3) この規定の適用を受ける旨を申告書に付記していること。

※3 延払基準の計算パターン（原則）

**(1) 引渡しの課税期間**

$$\begin{array}{l}売\ 上\\計上金額\end{array}=\begin{array}{l}その課税期間\\に引き渡した\\資産の対価\end{array}-\begin{array}{l}そのうちその\\課税期間の支払\\期日未到来額\end{array}+\begin{array}{l}未到来部分の\\うち既に支払\\を受けた金額\end{array}$$

**(2) 引渡しの課税期間後の課税期間**

$$\begin{array}{l}売\ 上\\計上金額\end{array}=\begin{array}{l}その課税期間\\の支払期日\\到\ \ 来\ \ 額\end{array}-\begin{array}{l}そのうち前課税\\期間以前に支払\\を受けた金額\end{array}+\begin{array}{l}未到来部分の\\うち既に支払\\を受けた金額\end{array}$$

(注) 延払基準の不適用

次に掲げる場合に該当したときは、そのリース譲渡につき「延払基準」による売上計上はできないこととなる。

この場合には、その課税期間において、残余の賦払金を一括して売上計上しなければならない。

(1) 所得税法又は法人税法において延払基準により経理しなかった場合

(2) 消費税法において延払基準の適用を受けなかった場合

(3) 課税事業者が免税事業者となった場合

(4) 免税事業者が課税事業者となった場合

## 〔3〕工事進行基準

> 事業者は、長期大規模工事（※1）又は工事（※2）の請負に係る資産の譲渡等について、一定の要件（※3）を満たす場合には、**工事進行基準**（※4）により売上げを計上することができる。

※1　長期大規模工事とは？
　　　次の要件を満たす工事をいう。
　(1)　工事着手の日から引渡し期日までの期間が1年以上
　(2)　請負対価の額が10億円以上
　(3)　その工事に係る契約において、その請負の対価の額の2分の1以上が、その引渡しの期日から1年を経過する日後に支払われることが定められていないもの

※2　工事とは？
　　　長期大規模工事以外の工事で、その着工した年（事業年度）中に、その目的物の引渡しが行われないものをいう。

※3　適用要件
　**(1)　長期大規模工事の場合**
　　①　事業者が、長期大規模工事の請負を行っていること。
　　②　長期大規模工事の目的物につき、所得税法又は法人税法上の「工事進行基準」の方法により計算していること。
　　③　この規定の適用を受ける旨を申告書に付記していること。
　　(注)　長期大規模工事においては、所得税法・法人税法上は、「工事進行基準」が強制適用されるため、上記②の要件は、必ず満たされることとなる。
　**(2)　工事の場合**
　　①　事業者が、工事の請負を行っていること。
　　②　工事の目的物につき、所得税法又は法人税法上の「工事進行基準」の方法により経理することとしていること。
　　③　この規定の適用を受ける旨を申告書に付記していること。

※4 工事進行基準の計算パターン

(1) **着工の課税期間から引渡し直前の課税期間まで**

売上計上金額＝

$$\text{当課税期間末の工事請負対価の額} \times \frac{\text{着工から当課税期間までの実際工事原価累計額}}{\text{当課税期間末見積工事原価}} - \text{前課税期間までに売上計上済の金額}$$

(2) **完成引渡しの課税期間**

売上計上金額＝

$$\text{確定した工事請負対価の額} - \text{前課税期間までに売上計上済の金額}$$

(注) 工事進行基準の不適用

　「工事」の場合において、所得税法又は法人税法において工事進行基準により経理しなかった場合には、その工事につき「工事進行基準」による売上計上はできないこととなる。

　この場合には、その工事に係る目的物を引き渡した課税期間において、請負対価の残余の額を一括して売上計上しなければならない。

## ■ 設 例

当社は、建設業を営んでいるが、法人税の計算上、工事につき工事進行基準による経理処理を行っており、消費税法においても同様の処理をするものとする。この場合において、下記の〔資料〕に基づき、当期（令和7年4月1日から令和8年3月31日まで）及び翌期（令和8年4月1日から令和9年3月31日まで）に売上計上すべき金額を計算しなさい。

〔資　料〕
- (1) 工事契約年月日　　　　　　　　　　　令和7年5月1日
- (2) 引渡日　　　　　　　　　　　　　　　令和8年9月30日
- (3) 工事の請負対価の額　　　　　　　　　100,000,000円
- (4) 令和8年3月31日現在の見積総工事原価　80,000,000円
- (5) 令和8年3月31日までの実際工事原価　　60,000,000円
- (6) 事業年度　　　　　毎年4月1日から翌年3月31日まで

## ■ 解 説

- (1) 当期（令和7年4月1日〜令和8年3月31日）

$$100,000,000円 \times \frac{60,000,000円}{80,000,000円} = 75,000,000円$$

- (2) 翌期（令和8年4月1日〜令和9年3月31日）

$$100,000,000円 - 75,000,000円 = 25,000,000円$$

## 〔4〕現金基準

> 個人事業者で、所得税法上「現金主義による所得計算の特例」の適用が認められている小規模事業者（※1）は、資産の譲渡等及び課税仕入れについて、一定の要件（※2）を満たす場合には、**現金基準（※3）**により売上げ及び仕入れを計上することができる。

※1　小規模事業者とは？

　　　上記の「小規模事業者」とは、所得税法に定める青色申告書を提出する者で、前々年分の「事業所得の金額」と「不動産所得の金額」との合計額が300万円以下の者のうち、「現金主義による所得計算の特例」の適用を受ける旨の届出書を提出している者その他一定の者をいう。

※2　適用要件

　　　この規定の適用を受ける旨を申告書に付記していること。

※3　現金基準

　　　現金の入金があった時点で「売上げ」を認識し、現金の支出があった時点で「仕入れ」を認識する方法をいう。

### 【消費税の延払基準等の適用関係】

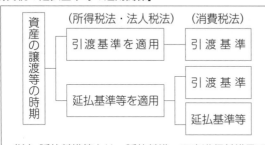

（注）延払基準等とは、延払基準、工事進行基準及び現金基準をいう。

# 18 仕入れに係る消費税額の控除（その1）

重要度A
★★★

● 学習のポイント ●

「課税仕入れ等」とはどのようなものを指すのか知る。

## ■ ポイント整理

消費税の納付税額は、いわゆる「預かった消費税額」から「支払った消費税額」を控除することにより計算する。したがって、課税の対象外である「不課税仕入れ」はもちろんのこと、消費税を支払わない「非課税仕入れ」や「免税仕入れ」も控除の対象とはならない。すなわち、取引時に消費税を支払う「課税仕入れ等」のみが、控除の対象となる。

### 〔1〕課税仕入れとは

課税仕入れとは、事業者が、事業として**他の者**（※1）から資産を譲り受け、若しくは借り受け、又は役務の提供（※2）を受けること（※3）をいう。

※1　他の者には、課税事業者、免税事業者のほか、消費者も含まれる。

※2　**給与等を対価とする役務の提供**を除く。

※3　他の者が事業としてその資産を譲り渡し、若しくは貸し付け、又はその役務の提供をしたとした場合に課税資産の譲渡等に該当することとなるもので、輸出免税等により消費税が免除されるもの以外のものに限る。

### 〔2〕特定課税仕入れとは

課税仕入れのうち特定仕入れ（※）に該当するものをいう。

※　事業として他の者から受けた特定資産の譲渡等をいう。

## 〔3〕売上げと仕入れの体系

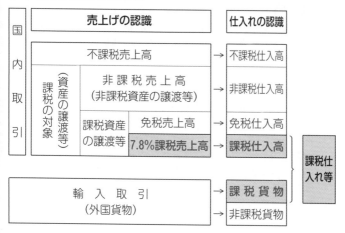

国内取引 … 売上げ側から見て「7.8%課税売上げ」に分類される取引が、仕入れ側から見て「課税仕入れ」となる。

輸入取引 … 課税貨物を保税地域から引き取る際に、税関に消費税を納付する。

## 【具体例】消費者からの中古車の購入

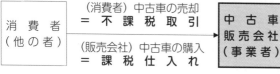

---

#### 消費者

この取引は、課税の対象の4要件のうち「事業者が事業として」の要件を満たさないため、不課税取引に該当する。

#### 販売会社

この取引は、仮にその消費者が事業者であるものとして行った場合には、課税取引（免税取引を除く。）に該当する。

このような取引については、その購入を行った事業者においては「課税仕入れ」として取り扱う。

## ■ 設 例

　法人の次の支出のうち、国内における課税仕入れに該当するもの
には○を、それ以外のものには×を付しなさい。なお、特に指示の
ないものは国内取引の要件を満たすものとする。また、商品はすべ
て課税資産である。

(1)　従業員に対する給料の支払い

(2)　通常必要と認められる通勤手当

(3)　国内出張旅費

(4)　海外出張旅費（国際航空運賃、現地の滞在費）

(5)　(3)の国内出張に際し支払う日当（通常必要と認められるもの）

(6)　贈答用のビール券の購入費用

(7)　贈答用のビールの購入費用

(8)　接待のために支払った飲食宿泊費

(9)　入湯税の支払い

(10)　接待のために支払ったゴルフプレー費

(11)　ゴルフ場利用税の支払い

(12)　商品の国内広告宣伝費用

(13)　贈答用の図書カードの購入費用

(14)　贈答用の図書カードへの社名の印刷費用

(15)　土地の購入費用

(16)　土地の売却手数料の支払い

(17)　社会保険料の支払い

(18)　健康診断費用の支払い

(19)　従業員の慶弔に伴う祝い金・見舞金の支払い（現金によるもの）

(20)　国内における運送に係る運送料の支払い

(21)　日本から海外への運送に係る運送料の支払い

(22)　国内電話料金の支払い

(23)　国際電話料金の支払い

(24)　電気・ガス・水道料金の支払い

(25)　事務所の賃借料

(26)　土地の賃借料（契約による借受期間は1年間）

(27)　社宅の借上料（契約による借受期間は1年間）

(28)　事務用消耗品の購入費用

(29)　寄附金の支払い（現金によるもの）

(30)　支払利息

## ■ 解 説

○……(2)、(3)、(5)、(7)、(8)、(10)、(12)、(14)、(16)、(18)、(20)、(22)、(24)、(25)、(28)

×……(1)、(4)、(6)、(9)、(11)、(13)、(15)、(17)、(19)、(21)、(23)、(26)、(27)、(29)、(30)

(1) 給与等を対価とする役務の提供は、課税仕入れに該当しない。

(2) 通勤手当のうち、通常必要であると認められる金額は、課税仕入れに該当する。

「通常必要であると認められる金額」というコメントがなくても、課税仕入れにすること。

(3) 国内出張旅費は課税仕入れに該当する。

(4) 国際航空運賃（国際運輸）は免税仕入れであり、現地での滞在費は不課税仕入れとなるため、課税仕入れに該当しない。

(5) 国内出張に係る日当は、課税仕入れに該当する。なお、海外出張に係る日当は、不課税仕入れとなり課税仕入れに該当しない。

(6)、(13) 物品切手等（ビール券、図書カード等）の購入は非課税仕入れであり、購入時においては課税仕入れに該当しない。

(9)、(11) 入湯税、ゴルフ場利用税は、個別消費税であり課税仕入れに該当しない。

(14) 印刷費用は、課税仕入れに該当する。

(17) 保険料の支払いは非課税仕入れであり、課税仕入れに該当しない。

(18) 健康診断は社会保険診療に含まれないため、非課税とはならず、課税仕入れに該当する。

(19) 現金による祝い金、見舞金の支払いは、対価性がないため不課税仕入れとなり、課税仕入れに該当しない。

(21) 国際運輸は免税仕入れとなり、課税仕入れに該当しない。

(23) 国際通信は免税仕入れとなり、課税仕入れに該当しない。

(26) 土地の賃借料は非課税仕入れとなり、課税仕入れに該当しない。

(27) 社宅（住宅）の借上料は非課税仕入れとなり、課税仕入れに該当しない。

(29) 寄附金の支払い（現金によるもの）は、対価性がないため不課税仕入れとなり、課税仕入れに該当しない。

(30) 支払利息は非課税仕入れであり、課税仕入れに該当しない。

# 19 仕入れに係る消費税額の控除（その2）

重要度A
★★★

●学習のポイント●

「課税売上割合」を計算できるようになる。

## ■ ポイント整理

「控除対象仕入税額」の計算は、まず、課税期間の課税売上高と5億円を比較し、5億円を超えていたら按分計算が必要となる。5億円以下の場合には、課税売上割合を計算し、課税売上割合が95％以上の場合には全額が控除され、95％未満の場合には、按分計算が必要となる。

### 〔1〕課税期間における課税売上高の計算

#### (1) 課税期間が1年である場合

$$
\begin{array}{ccc}
\text{課税期間中の} & & \text{課税期間中の} & & \text{課税期間における} \\
\text{課税売上高} & - & \text{課税売上返還等} & = & \text{課税売上高} \\
\text{（税抜）} & & \text{（税抜）} &
\end{array}
$$

※ 課税期間中の「税抜の純課税売上高」である。

### ここを覚えろ！

**●課税期間における課税売上高の計算パターン**

(1) 課税売上高（税抜）

$$\text{7.8\%国内課税売上高（税込）} \times \frac{100}{110} + \text{6.24\%国内課税売上高（税込）} \times \frac{100}{108}$$

　　＋免税売上高

(2) 課税売上返還等（税抜）

$$\text{7.8\%国内課税売上返還等（税込）} \times \frac{100}{110} + \text{6.24\%国内課税売上返還等（税込）}$$

$$\times \frac{100}{108} + \text{免税売上返還等}$$

(3) (1)－(2)＝課税期間における課税売上高

※ 計算パターンは基本的に基準期間における課税売上高、特定期間における課税売上高及び課税売上割合の計算で使用する課税売上高と同じである。

(2) **課税期間が 1 年未満の場合**

$$(1) \times \frac{12}{課税期間の月数※} = 課税期間における課税売上高$$

※ (1)の金額を課税期間の月数で除し、これに12を乗じる。
月数は暦に従って計算し、1月未満は1月とカウントする。

〔2〕**課税売上割合の計算**

課税売上割合とは、事業者全体の売上高のうちに課税売上高の占める割合をいい、次の算式により計算する。

$$課税売上割合 = \frac{課税売上高}{課税売上高 + 非課税売上高}$$

### ここを覚えろ！

●**課税売上割合の具体的な計算パターン**

(1) 課 税
  ① 課税売上高（税抜）

$$7.8\%国内課税売上高（税込） \times \frac{100}{110} + 6.24\%国内課税売上高（税込） \times \frac{100}{108} + 免税売上高$$

  ② 課税売上返還等（税抜）

$$7.8\%国内課税売上返還等（税込） \times \frac{100}{110} + 6.24\%国内課税売上返還等（税込） \times \frac{100}{108} + 免税売上返還等$$

  ③ ①－② $\begin{cases} \leqq 5億円 & \Rightarrow \quad 95\%判定へ \\ > 5億円 & \therefore \quad 按分必要 \end{cases}$

(2) 非課税
  ① 非課税売上高
      株式等・一定の金銭債権×5％＋その他の非課税売上高
  ② 非課税売上返還等
  ③ ①－②＝非課税売上高

(3) $\dfrac{(1)}{(1)+(2)}$ $\begin{matrix} \geqq 95\% & \therefore & 全額控除 \\ < 95\% & \therefore & 按分必要 \end{matrix}$

## 〔3〕非課税売上高の計算上の注意点

### (1) 有価証券等

| | | |
|---|---|---|
| 有価証券 | 国債、地方債、社債、株式、受益証券、ＣＰ等 | 譲渡対価の5％相当額を算入 |
| 有価証券に類するもの | 登録国債、金銭債権（貸付金等） | 譲渡対価全額を算入 |
| | 出資持分 | |
| | 資産の譲渡等の対価として取得した金銭債権（売掛金等） | 譲渡対価全額を算入しない |
| 支払手段 | 現金、小切手、手形等 | |
| 支払手段に類するもの | 暗号資産 | |

### (2) 利子・利息等

| | |
|---|---|
| 利子、保証料、収益分配金、償還差益、金銭債権の買取差益、買現先取引の売戻差益 | 非課税売上高に算入 |
| 償還差損、買現先取引の売戻差損 | 非課税売上高から控除 |

## ■ 設　例

次の〔資料〕により当課税期間（令和 7 年 4 月 1 日から令和 8 年 3 月31日まで）の課税売上割合を求め、按分計算の要否を判定しなさい。

なお、消費税が課されるものについては、すべて税込金額とし、与えられた取引はすべて国内取引の要件を満たすものである。

〔資　料〕

1　営業取引（非課税となるものはない。）
|   |   |
|---|---|
| (1)　国内課税売上高 | 88,000,000円 |
| (2)　輸出売上高 | 15,000,000円 |

2　営業外取引
|   |   |
|---|---|
| (1)　受取利息 | 250,000円 |
| (2)　受取配当金 | 100,000円 |
| (3)　土地売却代金 | 4,500,000円 |
| (4)　株式売却代金 | 5,000,000円 |

## ■ 解　説

(1)　**課　税**

$$88,000,000円 \times \frac{100}{110} + 15,000,000円$$

$$= 95,000,000円 \leqq 500,000,000円$$

(2)　**非課税**

$$250,000円 + 4,500,000円 + 5,000,000円 \times 5 \%$$

$$= 5,000,000円$$

(3)　$\dfrac{(1)}{(1)+(2)} = \dfrac{95,000,000円}{100,000,000円} = 95\% \geqq 95\%$

∴　全額控除

## ■ 設 例

次の〔資料〕により当課税期間（令和7年4月1日から令和8年
3月31日まで）の課税売上割合を求め、按分計算の要否を判定しな
さい。

なお、商品は課税資産に該当し、消費税が課されるものについて
は、すべて税込金額とする。また、与えられた取引は、特に断りの
あるものを除き、すべて国内取引の要件を満たすものである。

〔資 料〕

| | | |
|---|---|---|
| (1) | 商品総売上高 | 92,247,700円 |

上記金額の内訳は次のとおりである。

| | | |
|---|---|---|
| ① | 国内における課税売上高 | 88,421,600円 |
| ② | 輸出免税となる売上高 | 3,826,100円 |
| (2) | 売上値引 | 6,967,900円 |

上記金額の内訳は、当課税期間における国内売上げに対して
行ったもの6,682,300円及び当課税期間における輸出免税売上げ
に対して行ったもの285,600円である。

| | | |
|---|---|---|
| (3) | 受取利息 | 133,600円 |

上記金額の内訳は、預金利息28,400円、貸付金利息59,600円
及び株式投資信託の分配金45,600円である。

| | | |
|---|---|---|
| (4) | 社宅利用料収入 | 1,350,000円 |

上記金額は、従業員用社宅の使用料として従業員から徴収し
たものである。

| | | |
|---|---|---|
| (5) | 社債売却収入 | 3,750,000円 |
| (6) | ゴルフ場利用株式売却収入 | 850,000円 |
| (7) | 固定資産売却収入 | 50,000,000円 |

上記金額の内訳は、国内に所在する更地の売却に係るもの
30,000,000円及び国外に所在する更地の売却に係るもの20,000,000
円である。

## ■ 解　説

**(1) 課　税**

① $(88,421,600円 + 850,000円) \times \dfrac{100}{110} + 3,826,100円$

　　$= 84,982,100円$

② $6,682,300円 \times \dfrac{100}{110} + 285,600円 = 6,360,418円$

③ ①－② $= 78,621,682円 \leqq 500,000,000円$

**(2) 非課税**

$133,600円 + 1,350,000円 + 3,750,000円 \times 5\%$
$+ 30,000,000円 = 31,671,100円$

**(3)** $\dfrac{(1)}{(1)+(2)} = \dfrac{78,621,682円}{110,292,782円} = 0.7128\cdots < 95\%$

　　　　　　　　　　　　　　$\therefore$　按分必要

## 20 仕入れに係る消費税額の控除（その3）

重要度A
★★★

●学習のポイント●

1. 本格的な仕入税額控除の体系を理解する。
2. 「全額控除」が採用できるのは、どのような場合か。
3. 「個別対応方式」「一括比例配分方式」の算式を覚える。
4. 区分経理ができるようになる。
5. 仕入税額控除をするための適用要件について知る。

## ■ ポイント整理

〔1〕全額控除の場合

全額控除の場合には、控除対象仕入税額は仕入れの際に支払った消費税全額を課税標準額に対する消費税額から控除することとなり、次の算式により計算する。

### ここを覚えろ！

●全額控除の計算パターン

① 積上げ計算（原則）

$$\text{控除対象仕入税額} = \text{適格請求書等に記載された消費税額等のうち課税仕入れに係る部分の金額の合計額} \times 78\%$$

※ 特定課税仕入れ及び保税地域から引き取る課税貨物については、割戻し計算と同様の計算となる。

② 割戻し計算（特例）

$$\text{控除対象仕入税額} = \text{7.8\%課税仕入れの合計額（税込）} \times \frac{7.8}{110}$$

$$+ \text{6.24\%課税仕入れの合計額（税込）} \times \frac{6.24}{108}$$

$$+ \text{特定課税仕入れに係る支払対価の額} \times 7.8\% + \text{引取りに係る消費税額}$$

### ? 参 考

次の課税期間においては、当分の間、「特定課税仕入れ」はなかったものとして消費税法を適用する。

① 原則課税（課税売上割合が95%以上の場合に限る）である課税期間

② 簡易課税制度が適用される課税期間
③ ２割特例の適用を受ける課税期間

**（注）控除の時期**

　　仕入れに係る消費税額は、その「課税仕入れを行った日」又は「課税貨物を保税地域から引き取った日（特例申告については特例申告書の提出日）」の属する課税期間において控除する。

## ■ 設 例

　次の〔資料〕から、割戻し計算により、当社の当期（令和7年4月1日から令和8年3月31日まで）の納付税額を求めなさい。なお、金額は税込みである。

〔資　料〕

(1) 売上げに関する事項
　① 商品（課税資産）売上高　　　　　30,000,000円
　② 備品売却収入　　　　　　　　　　　3,000,000円
(2) 仕入れに関する事項
　① 国内における商品仕入高　　　　　13,200,000円
　② 輸入による商品仕入高　　　　　　　660,000円
　　　この660,000円には、税関に対し支払った消費税額46,800円及び地方消費税額13,200円が含まれている。
　③ 給与手当　　　　　　　　　　　　　3,600,000円
　④ 上記以外の課税仕入れの金額　　　　990,000円
(3) 中間納付消費税額が300,000円ある。

## ■ 解 説

**1　課税標準額**

　30,000,000円 + 3,000,000円 = 33,000,000円

　$33,000,000円 \times \dfrac{100}{110} = 30,000,000円$（千円未満切捨）

**2　課税標準額に対する消費税額**

　30,000,000円 × 7.8% = 2,340,000円

**3　控除対象仕入税額**

(1) 課税売上割合
　① 課　税　　　30,000,000円 ≦ 500,000,000円
　② 非課税　　　　　　0円
　③ $\dfrac{①}{①+②}$ = 100% ≧ 95%　∴　全額控除

(2) 控除対象仕入税額

　$(13,200,000円 + 990,000円) \times \dfrac{7.8}{110} + 46,800円 = 1,053,000円$

## 4 差引税額

2,340,000円 - 1,053,000円 = 1,287,000円 （百円未満切捨）

## 5 納付税額

1,287,000円 - 300,000円 = 987,000円

### 〔2〕按分計算が必要な場合

按分計算が必要な場合には、控除対象仕入税額は、「個別対応方式」及び「一括比例配分方式」という、2つの按分計算により計算する。

### (1) 個別対応方式

消費税の納付税額は、「預かった消費税額」から「支払った消費税額」を控除することにより計算するが、売上げが非課税売上げである場合、預かる消費税が存在しないため、非課税売上げに対応する課税仕入れ等に係る消費税額は控除することができないこととなる。

この考え方に基づいて、控除対象仕入税額を計算する方法が「個別対応方式」である。

---

### ここを覚えろ！

**●個別対応方式の計算パターン**

(1) 課税仕入れ等の区分（※1）

① 課税資産の譲渡等にのみ要するもの（＝A対応）
    イ　A対応の課税仕入れに係る税額
    ロ　A対応の特定課税仕入れに係る税額
    ハ　A対応の課税貨物に係る税額

② その他の資産の譲渡等にのみ要するもの（＝B対応）
    イ　B対応の課税仕入れに係る税額
    ロ　B対応の特定課税仕入れに係る税額
    ハ　B対応の課税貨物に係る税額

③ 共通して要するもの（＝C対応）
    イ　C対応の課税仕入れに係る税額
    ロ　C対応の特定課税仕入れに係る税額
    ハ　C対応の課税貨物に係る税額

(2) 個別対応方式

(1)①＋(1)③×課税売上割合（※2）＝控除対象仕入税額
（課税売上割合が割り切れない場合は、分数のまま使用する。端数処理はしない。）

---

## ※1　課税仕入れ等の区分

課税仕入れ等は以下の3つに区分することとなる。

---

### ①　課税資産の譲渡等にのみ要するもの（＝A対応）

課税売上げに対応する課税仕入れ等をいい、すなわち「控除できる課税仕入れ等」のことである。

（例）課税商品の仕入れ
　　　課税商品を保管するための倉庫家賃
　　　建物売却に係る仲介手数料

---

### ②　その他の資産の譲渡等にのみ要するもの（＝B対応）

非課税売上げに対応する課税仕入れ等をいい、すなわち「控除できない課税仕入れ等」のことである。

（例）土地売却に係る仲介手数料
　　　株式売却に係る委託手数料

---

### ③　共通して要するもの（＝C対応）

課税売上げと非課税売上げに共通して対応する課税仕入れ等をいい、課税売上げに対応している部分だけが控除できる。

（例）通勤手当
　　　旅費交通費
　　　土地付建物売却に係る仲介手数料

## ※2　課税売上割合に準ずる割合

個別対応方式による場合において、C対応部分の計算につき、課税売上割合よりも合理的な割合（＝課税売上割合に準ずる割合）があるときは、C対応の金額は、課税売上割合に代えてその課税売上割合に準ずる割合を用いて計算した金額とする。

（※）税務署長への承認申請が必要となる。

（課税売上割合に準ずる割合の具体例）
使用人の数の割合
消費・使用する資産の価額割合

## ■ 設 例

　家電（課税資産）の販売を行う当社の当課税期間（令和7年4月1日から令和8年3月31日まで）について、次の〔資料〕から課税仕入れにつき区分経理を行い、それぞれの区分ごとの税額を割戻し計算により計算しなさい。なお、金額は税込みである。

〔資　料〕

(1) 商品仕入高　　　　　　　　　　　　　　　215,000,000円

　　上記金額は、すべて国内における課税仕入れに該当する。

(2) 販売費及び一般管理費　　　　　　　　　　141,652,400円

　　上記金額の内訳は、次のとおりである。

　① 従業員給与手当　　　　　　　　　　　　80,000,000円

　　　上記金額には、通勤手当5,280,000円が含まれている。

　② 商品荷造運送費　　　　　　　　　　　　18,386,000円

　　　上記金額は、いずれも販売商品に係るものであるが、その内訳は次のとおりである。

　　　イ　輸出商品に係る国内の港から海外の港までの運賃

　　　　　　　　　　　　　　　　　　　　　　487,000円

　　　ロ　輸出許可を受けた商品の荷役料　　　　69,000円

　　　ハ　国内販売商品に係る国内運賃　　　17,830,000円

　③ 福利厚生費　　　　　　　　　　　　　　7,735,000円

　　　上記金額の内訳は、事業主負担の社会保険料4,960,000円、国内慰安旅行費用1,515,000円及び福利厚生目的で加入しているスポーツクラブの年会費1,260,000円である。

　④ 接待交際費　　　　　　　　　　　　　　964,400円

　　　上記金額の内訳は、次のとおりである。

　　　イ　ゴルフ接待費670,400円（うちゴルフ場利用税9,400円）

　　　ロ　贈答用品購入費124,000円（うち商品券購入費44,000円）

　　　ハ　得意先等の慶弔に係る祝金等170,000円（現金支出）

　⑤ その他の費用　　　　　　　　　　　　　34,567,000円

　　　上記金額のうち、課税仕入れの額は13,797,000円であり、軽減税率の対象となるものが500,000円含まれている。

(3) 上記(2)の販売費及び一般管理費に属する勘定科目で①、③、④、⑤のうち課税仕入れとなるものは、課税資産の譲渡等とその他の資産の譲渡等に共通して要する課税仕入れに該当する。

(4) 支払家賃　　　　　　　　　　　　　　　　15,500,000円

　　上記金額の内訳は、次のとおりである。

　① 社宅の借上料　　　　　　　　　　　　　10,000,000円

　　　（土地部分6,000,000円、建物部分4,000,000円）

土地付建物を一括で借り上げ、従業員に対し低額で貸し付
　　けている。
　②　保養所の借上料　　　　　　　　　　　　5,500,000円
　　　（土地部分3,000,000円、建物部分2,500,000円）
　　　土地付建物を一括で借り上げ、従業員に対し低額で利用さ
　　せている。
(5)　支払手数料　　　　　　　　　　　　　　2,583,000円
　　当期に売却した土地について不動産業者に対し支払った売却
　手数料である。

## ■ 解　説

(1)　**課税資産の譲渡等にのみ要するもの**

　　215,000,000円＋17,830,000円＋5,500,000円
　　＝238,330,000円

　　$238,330,000円 \times \dfrac{7.8}{110} = 16,899,763円$

(2)　**その他の資産の譲渡等にのみ要するもの**

　　$2,583,000円 \times \dfrac{7.8}{110} = 183,158円$

(3)　**共通して要するもの**

　①　7.8％

　　5,280,000円＋（1,515,000円＋1,260,000円）＋（670,400円
　　－9,400円）＋（124,000円－44,000円）＋（13,797,000円
　　－500,000円）＝22,093,000円

　　$22,093,000円 \times \dfrac{7.8}{110} = 1,566,594円$

　②　6.24％

　　$500,000円 \times \dfrac{6.24}{108} = 28,888円$

　③　①＋②＝1,595,482円

(2) **一括比例配分方式**

　　個別対応方式における区分経理の煩雑さを考慮し、すべての課税仕入れ等を「課税資産の譲渡等とその他の資産の譲渡等に共通して要するもの」と考え、区分経理を不要とした簡便的な計算方法である。

　※　一括比例配分方式では、課税売上割合に準ずる割合を使用することはできない。

(3) **一括比例配分方式の選択**

　　課税仕入れ等について区分経理している場合においても、個別対応方式によらず、簡便法である一括比例配分方式で計算することができる。したがって、区分経理をしている場合には、両方式の選択適用を認めている。

(4) **一括比例配分方式の継続適用**

　　事業者が、一括比例配分方式を選択した場合には、その一括比例配分方式を選択した課税期間の初日から2年を経過する日までの間に開始する各課税期間においてその方法を継続して適用した後の課税期間でなければ、個別対応方式を適用することはできない。

## ■ 設 例

次の〔資料〕から、当社の当期（令和7年4月1日から令和8年3月31日まで）の控除対象仕入税額を個別対応方式及び一括比例配分方式により計算しなさい。なお、金額は税込みであり、課税売上割合は80％である。また、計算は「**1．割戻し計算**」及び「**2．積上げ計算**」により行うこととし、問題文中の消費税額等は適格請求書等に記載された消費税額等の合計額である。

〔資　料〕

(1) 商品（課税資産）仕入高

  ① 国内仕入高　　103,400,000円（うち消費税額等9,400,000円）

  ② 輸入仕入高　　　1,100,000円
    上記金額には、税関に納付した消費税額78,000円及び地方消費税額22,000円が含まれている。

(2) 役員報酬　　　　　21,000,000円

(3) 従業員給与手当　32,000,000円

(4) 福利厚生費　　　　3,240,000円
    上記金額には、事業主負担の社会保険料1,040,000円が含まれており、残額2,200,000円（うち消費税額等200,000円）はすべて課税仕入れに該当する。

(5) 荷造運搬費　　　　2,640,000円（うち消費税額等240,000円）
    国内の商品運搬に係るものである。

(6) 通信費　　　　　　1,320,000円（うち消費税額等120,000円）
    すべて課税仕入れに該当する。

(7) 支払保険料　　　　　735,000円

(8) 水道光熱費　　　　　880,000円（うち消費税額等80,000円）

(9) 支払利息　　　　　　100,000円

(10) 土地売却手数料　　　550,000円（うち消費税額等50,000円）

(11) 「役員報酬」「従業員給与手当」「福利厚生費」「通信費」及び「水道光熱費」のうち、課税仕入れに該当するものは、課税資産の譲渡等とその他の資産の譲渡等に共通して要するものとする。

## ■ 解 説

### 1．割戻し計算

(1) **課税仕入れ等の区分**

① 課税資産の譲渡等にのみ要するもの

103,400,000円 + 2,640,000円 = 106,040,000円

$$106,040,000円 \times \frac{7.8}{110} + 78,000円 = 7,597,200円$$

② その他の資産の譲渡等にのみ要するもの

$$550,000円 \times \frac{7.8}{110} = 39,000円$$

③ 共通して要するもの

2,200,000円 + 1,320,000円 + 880,000円 = 4,400,000円

$$4,400,000円 \times \frac{7.8}{110} = 312,000円$$

④ 合 計

106,040,000円 + 550,000円 + 4,400,000円 = 110,990,000円

$$110,990,000円 \times \frac{7.8}{110} + 78,000円 = 7,948,200円$$

(2) **個別対応方式**

7,597,200円 + 312,000円 × 80% = 7,846,800円

(3) **一括比例配分方式**

7,948,200円 × 80% = 6,358,560円

(4) **判 定**

(2) > (3)　∴　7,846,800円

### 2．積上げ計算

(1) **課税仕入れ等の区分**

① 課税資産の譲渡等にのみ要するもの

9,400,000円 + 240,000円 = 9,640,000円

9,640,000円 × 78% + 78,000円 = 7,597,200円

② その他の資産の譲渡等にのみ要するもの

50,000円 × 78% = 39,000円

③ 共通して要するもの

200,000円 + 120,000円 + 80,000円 = 400,000円

400,000円 × 78% = 312,000円

④　合　計

9,640,000円＋50,000円＋400,000円＝10,090,000円

10,090,000円×78％＋78,000円＝7,948,200円

⑵　**個別対応方式**

7,597,200円＋312,000円×80％＝7,846,800円

⑶　**一括比例配分方式**

7,948,200円×80％＝6,358,560円

⑷　**判　定**

⑵＞⑶　　∴　7,846,800円

## 〔3〕適用要件

「仕入れに係る消費税額の控除」の規定は、事業者がその課税期間の課税仕入れ等の税額の控除に係る**帳簿及び請求書等**（請求書等の交付を受けることが困難である場合、特定課税仕入れに係るものである場合その他の一定の場合には帳簿）を保存しない場合には、その保存がないものについては適用しない。

また、この規定は、課税仕入れに係る資産が金又は白金の地金である場合に限り、その相手方の本人確認書類を保存しない場合には、適用しない。

ただし、災害その他やむを得ない事情により、保存をすることができなかったことを、その事業者において証明した場合は、この限りでない。

## 〔4〕居住用賃貸建物に係る仕入税額控除の制限

⑴　**内　容**

事業者が国内において行う居住用賃貸建物に係る課税仕入れ等の税額については、仕入れに係る消費税額の控除の規定を適用しない。

⑵　**居住用賃貸建物**

非課税とされる住宅の貸付けの用に供しないことが明らかな建物（附属設備を含む。）以外の建物（高額特定資産又は調整対象自己建設高額資産に限る。）をいう。

※　調整対象自己建設高額資産

他の者との契約に基づき、又はその事業者の棚卸資産として自ら建設等をした棚卸資産で、その建設等に要した原材料

費及び経費で課税仕入れに係る支払対価の額の $\frac{100}{110}$ に相当する金額等の累計額が1,000万円以上となったものをいう。

(3) **制限の範囲**

① 住宅の貸付けの用に供しないことが明らかな部分がある居住用賃貸建物について、その明らかな部分とそれ以外の部分（居住用賃貸部分）とに合理的に区分しているときは、その居住用賃貸部分に係る課税仕入れ等の税額についてのみ、制限する。

② 居住用賃貸建物が自己建設高額特定資産として、高額特定資産を取得した場合等の納税義務の免除の特例の適用を受ける場合には、その仕入れを行った場合に該当することとなった日の属する課税期間以後の課税期間におけるその居住用賃貸建物に係る課税仕入れ等の税額についてのみ、制限する。

〔5〕**密輸品等と知りながら行った課税仕入れに係る仕入税額控除の制限**

密輸品と知りながら行った課税仕入れ（※）については、仕入税額控除の適用はない。

※ 輸出物品販売場で消費税が免除された物品であることを知りながら行った課税仕入れについても、仕入税額控除の適用はないこととされている。

20

仕入れに係る消費税額の控除　(その3)

# 21 仕入れに係る消費税額の控除（その4）

重要度A
★★★

●学習のポイント●

1．インボイス制度とはどのようなものかを知る。
2．適格請求書発行事業者の登録等について確認する。
3．適格請求書発行事業者の義務等について確認する。
4．インボイス制度における税額計算の方法を覚える。

## ポイント整理

### 〔1〕適格請求書等保存方式（インボイス制度）の概要

令和元年10月１日から導入された軽減税率制度に伴って、取引の正確な消費税額と消費税率を把握する必要があるため、令和５年10月１日から仕入税額控除の適用要件である区分記載請求書等保存方式に代えて適格請求書等保存方式（インボイス制度）が導入された。

適格請求書等保存方式では、税務署長に申請して登録を受けた課税事業者である「適格請求書発行事業者」が交付する「適格請求書（＝インボイス）」等の保存が仕入税額控除の適用要件となる。

### 〔2〕適格請求書とは

適格請求書とは、「売手が、買手に対し正確な適用税率や消費税額等を伝えるための手段」であり、一定の事項が記載された請求書、納品書その他これらに類する書類（請求書、納品書、領収書、レシート等）をいう。

※　適格請求書発行事業者が、不特定かつ多数の者に課税資産の譲渡等を行う一定の事業を行う場合には、適格請求書に代えて、適格請求書の記載事項を簡易なものとした適格簡易請求書を交付することができる。

| 適格請求書 | 適格簡易請求書 |
|---|---|
| ①　適格請求書発行事業者の氏名又は名称及び登録番号 | ①　適格請求書発行事業者の氏名又は名称及び登録番号 |
| ②　課税資産の譲渡等を行った年月日 | ②　課税資産の譲渡等を行った年月日 |
| ③　課税資産の譲渡等に係る資産又は役務の内容（課税資産の譲渡等が軽減対象資産の譲渡等である場合には、資産の内容及び軽減対象資産の譲渡等である旨） | ③　課税資産の譲渡等に係る資産又は役務の内容（課税資産の譲渡等が軽減対象資産の譲渡等である場合には、資産の内容及び軽減対象資産の譲渡等である旨） |
| ④　課税資産の譲渡等の税抜価額又は税込価額を税率ごとに区分して合計した金額及び適用税率 | ④　課税資産の譲渡等の税抜価額又は税込価額を税率ごとに区分して合計した金額 |
| ⑤　税率ごとに区分した消費税額等 | ⑤　税率ごとに区分した消費税額等又は適用税率 |
| ⑥　書類の交付を受ける事業者の氏名又は名称 | |

**21**

仕入れに係る消費税額の控除（その4）

### 〔3〕適格請求書発行事業者の登録等

　　適格請求書を交付しようとする事業者は、納税地を所轄する税務署長に適格請求書発行事業者の登録申請書を提出し、適格請求書発行事業者として登録を受ける必要がある。なお、登録を受けることができるのは、**課税事業者**に限られている。

　　また、税務署長は、その事業者の氏名又は名称及び登録番号等を適格請求書発行事業者登録簿に登載し、登録を行う。

### 〔4〕適格請求書発行事業者の義務等《売手側の留意点》

　　適格請求書発行事業者には、適格請求書を交付することが困難な一定の場合を除き、取引の相手方（**課税事業者**に限る。）の求めに応じて、適格請求書等を交付する義務及びその適格請求書等の**写しを保存**する義務が課される。

　　また、課税事業者に返品や値引き等の売上げに係る対価の返還等を行う場合には、**適格返還請求書**を交付する義務及びその適格返還請求書等の**写しを保存**する義務が課される。

※　適格請求書の交付義務が免除される場合

適格請求書を交付することが困難な以下の取引は、適格
請求書の交付義務が免除される。

① 　3万円未満の公共交通機関（船舶、バス又は鉄道）に
よる旅客の運送

② 　出荷者が卸売市場において行う生鮮食料品等の譲渡
（出荷者から委託を受けた受託者が卸売の業務として行
うものに限る。）

③ 　生産者が農業協同組合、漁業協同組合又は森林組合等
に委託して行う農林水産物の譲渡（無条件委託方式かつ
共同計算方式により生産者を特定せずに行うものに限る。）

④ 　3万円未満の自動販売機及び自動サービス機により行
われる商品の販売等

⑤ 　郵便切手類のみを対価とする郵便・貨物サービス（郵
便ポストに差し出されたものに限る。）

※　適格返還請求書についても一定の交付義務免除の取扱い
がある。


〔5〕仕入税額控除の要件《買手側の留意点》

適格請求書等保存方式の下では、適格請求書等の交付を受け
ることが困難な一定の場合（※）を除き、一定の事項を記載し
た帳簿及び請求書等の保存が仕入税額控除の要件となる。

※　帳簿の保存のみで仕入税額控除が認められる場合

請求書等の交付を受けることが困難な以下の取引は、帳
簿のみの保存で仕入税額控除が認められる。

① 　3万円未満の公共交通機関（船舶、バス又は鉄道）に
よる旅客の運送

② 　適格簡易請求書の記載事項（取引年月日を除く。）が
記載されている入場券等が使用の際に回収される取引（①
に該当するものを除く。）

③ 　古物営業を営む者の適格請求書発行事業者でない者か
らの古物（古物営業を営む者の棚卸資産に該当するもの
に限る。）の購入

④ 　質屋を営む者の適格請求書発行事業者でない者からの
質物（質屋を営む者の棚卸資産に該当するものに限る。）
の取得

⑤ 　宅地建物取引業を営む者の適格請求書発行事業者でな
い者からの建物（宅地建物取引業を営む者の棚卸資産に
該当するものに限る。）の購入

⑥　適格請求書発行事業者でない者からの再生資源及び再生部品（購入者の棚卸資産に該当するものに限る。）の購入

⑦　**3万円未満の自動販売機及び自動サービス機からの商品の購入等**

⑧　郵便切手類のみを対価とする郵便・貨物サービス（郵便ポストに差し出されたものに限る。）

⑨　従業員等に支給する通常必要と認められる出張旅費等（出張旅費、宿泊費、日当及び通勤手当）

※　上記のほか、一定規模以下の事業者に対する事務負担の軽減措置が設けられている。

〔6〕**税額計算の方法**

令和5年10月1日以降の売上税額及び仕入税額の計算は、次の①又は②を選択することができる。

①　適格請求書に記載された消費税額等を積み上げて計算する「**積上げ計算**」

②　適用税率ごとの税込金額を基に消費税額を割り戻して計算する「**割戻し計算**」

ただし、売上税額を「**積上げ計算**」により計算する場合には、仕入税額も「**積上げ計算**」により計算しなければならない。なお、売上税額について「**積上げ計算**」を選択できるのは、適格請求書発行事業者に限られる。

■　**税額計算のイメージ**

原則は売上税額が**割戻し計算**となり、仕入税額は**積上げ計算**となる。

※　売上税額の計算方法において、「**割戻し計算**」と「**積上げ計算**」を併用することは認められているが、仕入税額の計算方法において、「**積上げ計算**」と「**割戻し計算**」を併用することはできない。

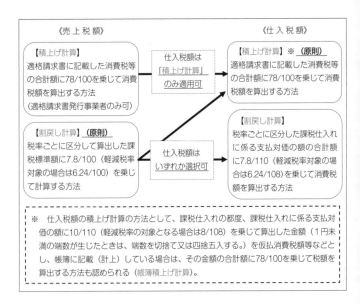

《売上税額》

【積上げ計算】
適格請求書に記載した消費税等の合計額に78/100を乗じて消費税額を算出する方法
（適格請求書発行事業者のみ可）

【割戻し計算】（原則）
税率ごとに区分して算出した課税標準額に7.8/100（軽減税率対象の場合は6.24/100）を乗じて計算する方法

仕入税額は
「積上げ計算」
のみ適用可

仕入税額は
いずれか選択可

《仕入税額》

【積上げ計算】※（原則）
適格請求書に記載した消費税等の合計額に78/100を乗じて消費税額を算出する方法

【割戻し計算】
税率ごとに区分した課税仕入れに係る支払対価の額の合計額に7.8/110（軽減税率対象の場合は6.24/108）を乗じて消費税額を算出する方法

※ 仕入税額の積上げ計算の方法として、課税仕入れの都度、課税仕入れに係る支払対価の額に10/110（軽減税率の対象となる場合は8/108）を乗じて算出した金額（1円未満の端数が生じたときは、端数を切捨て又は四捨五入する。）を仮払消費税等などとし、帳簿に記載（計上）している場合は、その金額の合計額に78/100を乗じて税額を算出する方法も認められる（帳簿積上げ計算）。

## 参 考　帳簿のみの保存で仕入税額控除が認められる場合の積上げ計算

公共交通機関特例（3万円未満の公共交通機関による旅客の運送）など、帳簿のみの保存で仕入税額控除が認められるものについては、適格請求書等がないため、仕入税額を積上げ計算する場合に消費税額等がわからない場合がある。

そのような場合には、次の金額を基として仕入税額を計算することとなる。

なお、少額特例の適用を受ける場合の積上げ計算も、同様の計算方法となる。

課税仕入れに係る支払対価の額 $\times \dfrac{10}{110}$ ※（又は $\dfrac{8}{108}$ ※）

※　1円未満の端数が生じたときは、端数を切捨て又は四捨五入

〔7〕適格請求書発行事業者以外の者からの課税仕入れに係る経過
措置

　適格請求書等保存方式の下では、適格請求書発行事業者以外
の者（消費者、免税事業者又は登録を受けていない課税事業者）
からの課税仕入れについては、仕入税額控除のために保存が必
要な請求書等の交付を受けることができないことから、仕入税
額控除を行うことができない。

　ただし、適格請求書等保存方式開始から一定期間は、適格請
求書発行事業者以外の者からの課税仕入れであっても、仕入税
額相当額の一定割合を仕入税額とみなして控除できる経過措置
が設けられている。

※　経過措置を適用できる期間等

| 期　　間 | 割　　合 |
|---|---|
| 令和 5 年10月 1 日から<br>令和 8 年 9 月30日まで | 仕入税額相当額の80% |
| 令和 8 年10月 1 日から<br>令和11年 9 月30日まで | 仕入税額相当額の50% |

※　令和 6 年10月 1 日以後に開始する課税期間から、一の免税
事業者等から行う経過措置（80%控除・50%控除）の対象と
なる課税仕入れの合計額（税込金額）がその年又は事業年度
で10億円を超える場合には、その超えた部分の課税仕入れに
ついて、経過措置（80%控除・50%控除）の適用を受けるこ
とができないこととされている。

❓ 参　考　免税事業者からの仕入れに係る経過措置を適用する場合の税額計算

(1) 仕入税額について積上げ計算を適用している場合

課税仕入れに係る 支払対価の額 $\times \dfrac{7.8}{110}$（又は $\dfrac{6.24}{108}$）$\times 80\%$　※

※　1 円未満の端数が生じたときは、端数を切捨て又は四捨
五入

(2) 仕入税額について割戻し計算を適用している場合

課税仕入れに係る 支払対価の額の合計額 $\times \dfrac{7.8}{110}$（又は $\dfrac{6.24}{108}$）$\times 80\%$　※

※　1 円未満の端数が生じたときは、端数を切捨て

〔8〕少額特例（一定規模以下の事業者に対する事務負担の軽減措置）

　　基準期間における課税売上高が１億円以下又は特定期間における課税売上高が**5千万円以下**である事業者が、令和５年10月１日から令和11年９月30日までの間に国内において行う課税仕入れについて、その課税仕入れに係る支払対価の額が**1万円未満**である場合には、一定の事項が記載された帳簿のみの保存により、その課税仕入れについて仕入税額控除の適用を受けることができる経過措置（**少額特例**）が設けられている。

〔9〕２割特例（小規模事業者に係る税額控除に関する経過措置）

　　令和５年10月１日から令和８年９月30日までの日の属する各課税期間において、免税事業者（免税事業者が「課税事業者選択届出書」の提出により課税事業者となった場合を含む。）が**適格請求書発行事業者**となる場合（注）には、納付税額の計算において控除する金額を、その課税期間における課税標準額に対する消費税額から売上げに係る対価の返還等の金額に係る消費税額の合計額を控除した残額に８割を乗じた額とすることができる経過措置が設けられている。

　（注）課税事業者が適格請求書発行事業者となった場合であっても、その適格請求書発行事業者となった課税期間の翌課税期間以後の課税期間について、基準期間における課税売上高が1,000万円以下である場合には、原則として、２割特例の適用を受けることができる。

　　　　また、２割特例は、簡易課税制度のように事前の届出や継続して適用しなければならないという制限はなく、申告書に２割特例の適用を受ける旨を付記することにより、適用を受けることができる。

## 参　考　２割特例の税額計算

$$特別控除税額 = \left( \underbrace{\begin{array}{c}課税標準額に\\対する消費税額\end{array} + \begin{array}{c}貸倒回収に\\係る消費税額\end{array} - \begin{array}{c}売上げに係る対価の\\返還等に係る消費税額\end{array}}_{基礎となる消費税額} \right) \times 80\%$$

　　計算方法は、みなし仕入率が80％である場合の簡易課税制度の控除税額の計算方法と同様である。なお、簡易課税制度のように事業区分は要しない。

# 22 売上げに係る対価の返還等

重要度A
★★★

●学習のポイント●

売上げに係る対価の返還等があった場合の処理について覚える。

## ポイント整理

売上げの返品や値引き・割戻し等は、売上げのマイナス項目
である。したがって、消費税法は、課税標準額に対する消費税
額から、その返品等に係る消費税額を控除することとしている。
これらの項目を総称して「売上げに係る対価の返還等」という。

### 〔1〕売上げに係る対価の返還等の具体的範囲

| | |
|---|---|
| (1) | 売 上 返 品 |
| (2) | 売 上 値 引 |
| (3) | 売 上 割 戻 |
| (4) | 売 上 割 引 |
| (5) | 販 売 奨 励 金（現金によるもの） |
| (6) | 事業分量配当金 |

### 〔2〕売上げに係る対価の返還等の処理

国内において行った課税売上げ（免税売上げを除く。）
について、売上げに係る対価の返還等をした場合には、そ
の返還等をした日の属する課税期間（※1）の「課税標準
額に対する消費税額」から、その「売上げに係る対価の返
還等に係る消費税額（※2）の合計額」を控除する。

### ※1　控除の時期

売上げに係る対価の返還等に係る消費税額は、その「返還
等をした日の属する課税期間」において控除する。たとえ、
その返還等が前期以前の売上げに係るものであっても処理が
必要である。

※2　(1)　割戻し計算（原則）

①　7.8%

$$\text{売上げに係る税込対価の返還等の金額} \times \frac{7.8}{110}$$

②　6.24%

$$\text{売上げに係る税込対価の返還等の金額} \times \frac{6.24}{108}$$

③　①＋②＝売上げに係る対価の返還等に係る消費税額

(2)　積上げ計算（特例）

$$\text{適格返還請求書に記載した消費税額等} \times 78\% = \text{売上げに係る対価の返還等に係る消費税額}$$

## 〔3〕売上げに係る対価の返還等の処理をしないもの

次のものについては「売上げに係る対価の返還等に係る消費税額の控除」の処理はしない。

(1)　**輸出免税売上げに係る返還等**

(2)　**非課税売上げに係る返還等**

（例）土地売却に係る割戻し

(3)　**免税事業者であったときの課税売上げに係る返還等**

（→免税事業者は売上時に課税標準額に対する消費税額の計算をしていないため、その課税売上げにつき返還等をしても調整する必要はない。）

## 〔4〕適用要件

この規定の適用を受けるためには、その売上げに係る対価の返還等の明細（年月日、内容（※）、金額、相手先の住所、氏名等）を記録した帳簿を保存しなければならず、その保存のないものについては、適用しない。

ただし、災害その他やむを得ない事情によりその保存をすることができなかったことを証明した場合には、この限りではない。

※　軽減対象課税資産の譲渡等に係るものである場合にはその旨を含む。

# 23 特定課税仕入れに係る対価の返還等

重要度C
★

●学習のポイント●

特定課税仕入れに係る対価の返還等があった場合の処理について
覚える。

## ■ ポイント整理

〔1〕範 囲

> (1) 値引き
> (2) 割戻し

〔2〕計算パターン

> 特定課税仕入れに係る対価の返還等×7.8%
> =特定課税仕入れに係る対価の返還等に係る消費税額

〔3〕留意点

(1) 返還等を受けた課税期間において処理をする。

(2) 適用要件として、帳簿の保存義務がある。

(3) 「特定課税仕入れに係る対価の返還等に係る消費税額」は、
「売上げに係る対価の返還等に係る消費税額」と合計し、『返還
等対価に係る税額』を構成する。

　　また、『返還等対価に係る税額』は「控除対象仕入税額」「貸
倒れに係る消費税額」と合計し「控除税額小計」を求めた後、
課税標準額に対する消費税額から控除する。

(4) 「課税売上割合が95％以上の場合の原則課税である課税期間」
における特定課税仕入れに係る対価の返還等
　　⇨　税額控除の適用なし

(5) 「簡易課税制度又は2割特例が適用される課税期間」におけ
る特定課税仕入れに係る対価の返還等
　　⇨　税額控除の適用なし

## ■ 設 例

次の資料から甲社（課税事業者に該当する。）の当課税期間（令和7年4月1日から令和8年3月31日まで）の返還等対価に係る税額を求めなさい。

なお、甲社は経理方法として税込経理方式を採用しており、一括比例配分方式により計算している。

また、計算は割戻し計算により行うこととする。

〔資 料〕

(1) 当期の課税売上げに係る値引き　　　　220,000円

(2) 当期の仕入れに係る値引き　　　　　　158,000円

上記金額の内訳は、次のとおりである。

① 課税仕入れに係る値引き　　　　　　108,000円

② 特定課税仕入れに係る値引き　　　　 50,000円

## ■ 解 説

〔返還等対価に係る税額〕

(1) 売上返還等

$$220,000円 \times \frac{7.8}{110} = 15,600円$$

(2) 特定課税仕入返還等

50,000円×7.8％＝3,900円

(3) (1)＋(2)＝19,500円

学 習 度
チェック

# 24 貸倒れ

●学習のポイント●

貸倒れがあった場合の処理について覚える。

## ポイント整理

　売掛金等が貸倒れとなった場合には、その実質は、対価を得
ていないこととなんら変わりがないため、課税標準額に対する
消費税額から、その貸倒れに係る消費税額を控除することにより、その税額を調整することとしている。

### 〔1〕貸倒れの範囲と貸倒れの額

| 区分 | 原因となる事由 | 貸倒損失の額 |
|---|---|---|
| 法的な債権の消滅 | (1) 更生計画認可の決定<br>(2) 再生計画認可の決定<br>(3) 特別清算に係る協定の認可の決定<br>(4) 債権者集会の協議決定<br>(5) 行政機関、金融機関等のあっせんによる契約で(4)に準ずるもの | 切 捨 額 |
| | (6) 債務超過の状態が相当期間継続し弁済不能 | 書面による<br>債務免除額 |
| 経済的認識 | 債務者の財産状況・支払能力等からみて債務の全額が回収不能（※） | 売掛金等の<br>全額 |
| 貸倒の特例 | (1) 債務者との継続的取引停止以後1年以上経過（※）<br>(2) 同一地域の当該債権の総額が取立費用に満たない場合で、支払の督促にもかかわらず弁済なし | 売掛金<br>等の額−備忘価額<br>（1円以上） |

※　担保物があるときは処分した後でなければ適用できない。

## 〔2〕貸倒れの処理

> 国内において行った課税売上げ（免税売上げを除く。）について、その売掛金等の債権が貸倒れとなった場合には、その貸倒れとなった日の属する課税期間（※1）の「課税標準額に対する消費税額」から、その「貸倒れに係る消費税額（※2）の合計額」を控除する。

※1　控除の時期

貸倒れに係る消費税額は、その「貸倒れとなった日の属する課税期間」において控除する。たとえ、その貸倒れが前期以前の売上げに係るものであっても処理が必要である。

※2　⑴　7.8％

$$貸倒れの金額 \times \frac{7.8}{110}$$

⑵　6.24％

$$貸倒れの金額 \times \frac{6.24}{108}$$

⑶　⑴＋⑵＝貸倒れに係る消費税額

※3　貸倒れに係る消費税額（及び貸倒回収に係る消費税額）は、インボイス制度導入後においても、税額の計算方法に変更はないため、従来どおり税込金額を基に税額を算出する計算方法（割戻し計算）により、その税額の算出を行う。

## 〔3〕貸倒れの処理をしないもの

次のものについては「貸倒れに係る消費税額の控除」の処理はしない。

⑴　**輸出免税売上げ**に係る売掛債権の貸倒れ

⑵　**非課税売上げ**に係る売掛債権の貸倒れ

（例：土地の売却に係る未収金等の貸倒れ）

⑶　貸付金の貸倒れ

⑷　**免税事業者**であったときの課税売上げに係る売掛債権の貸倒れ

（→免税事業者は売上時に課税標準額に対する消費税額の計算をしていないため、その課税売上げに係る債権につき貸倒れとなっても調整する必要はない。）

## 〔4〕適用要件

　この規定の適用を受けるためには、貸倒れの事実を証する書類を保存しなければならず、その保存のないものについては、適用しない。

　ただし、災害その他やむを得ない事情によりその保存をすることができなかったことを証明した場合には、この限りではない。

## 〔5〕貸倒れの回収があった場合

　いったん、貸倒れとして処理した売掛金等を領収したときは、その領収した税込価額に係る消費税額（※1）を「**課税資産の譲渡等に係る消費税額**」とみなして、その領収をした日の属する課税期間（※2）の「**課税標準額に対する消費税額**」に加算する（※3）。

※1　(1)　7.8%

$$領収した売掛金等の税込金額 \times \frac{7.8}{110}$$

　　　(2)　6.24%

$$領収した売掛金等の税込金額 \times \frac{6.24}{108}$$

　　　(3)　(1)+(2)＝貸倒回収に係る消費税額

※2　**処理の時期**

　貸倒回収に係る消費税額は、その「領収をした日の属する課税期間」において処理する。

※3　金額の記載は、申告書の「控除過大調整税額」の欄で行う。

（注）各項目において、令和元年9月30日以前は6.3%が適用される点に留意する。

## ■ 設 例

電子製品（課税資産）の製造業を営む甲社（課税事業者に該当する。）の当課税期間（第37期：令和7年4月1日から令和8年3月31日まで、以下「当期」という。）の売上高等に関する〔資料〕は次のとおりである。これにより、割戻し計算により、甲社の納付すべき消費税額を求めなさい。

なお、与えられた取引はすべて国内取引の要件を満たすものであり、経理方法として税込経理方式を採用している。また、甲社は、設立以来免税事業者に該当したことはなく、課税仕入れ等の税額は、全額税額控除できるものとする。

〔資　料〕

1　収入に関する事項

| | | |
|---|---|---|
| (1) | 製品売上高 | 307,650,000円 |
| (2) | 上記(1)の売上返品高 | 9,900,000円 |
| (3) | 倉庫の賃貸料収入 | 78,000,000円 |
| (4) | 土地の売却収入 | 10,000,000円 |
| (5) | 株式の売却収入 | 12,000,000円 |
| (6) | 預貯金の利子収入 | 750,000円 |
| (7) | 償却債権取立益 | 6,180,000円 |

　　　上記金額は、第30期（平成30年4月1日から平成31年3月31日まで）の製品売上高に係る売掛金につき第34期において貸倒れに係る消費税額の控除の規定の適用を受けたものが、当期において回収できたことにより計上したものである。

2　支出に関する事項

| | | |
|---|---|---|
| (1) | 課税仕入高（原材料仕入高） | 252,000,000円 |
| (2) | 販売奨励金 | 550,000円 |

　　　上記金額は、製品販売奨励の目的で当課税期間の製品売上高に応じて国内の得意先に支出した金銭の額である。

3　その他の事項

(1)　更生計画認可の決定による売掛金の貸倒れ額

7,700,000円

　　　当期の上記1(1)の製品売上げに係るものである。

(2)　中間納付消費税額　　　　　　　　　　　　　3,000,000円

## ■ 解　説

**1　課税標準額**

307,650,000円 + 78,000,000円 = 385,650,000円

$$385{,}650{,}000円 \times \frac{100}{110} = 350{,}590{,}909円$$

→ 350,590,000円（千円未満切捨）

**2　課税標準額に対する消費税額**

350,590,000円 × 7.8% = 27,346,020円

**3　控除過大調整税額**

$$6{,}180{,}000円 \times \frac{6.3}{108} = 360{,}500円$$

**4　控除対象仕入税額**

$$252{,}000{,}000円 \times \frac{7.8}{110} = 17{,}869{,}090円$$

**5　返還等対価に係る税額**

9,900,000円 + 550,000円 = 10,450,000円

$$10{,}450{,}000円 \times \frac{7.8}{110} = 741{,}000円$$

**6　貸倒れに係る消費税額**

$$7{,}700{,}000円 \times \frac{7.8}{110} = 546{,}000円$$

**7　差引税額**

27,346,020円 + 360,500円 − （17,869,090円 + 741,000円
+ 546,000円）= 8,550,430円

→ 8,550,400円（百円未満切捨）

**8　納付税額**

8,550,400円 − 3,000,000円 = 5,550,400円

●消費税の納付税額の基本的計算パターン（割戻し計算）

**1 課税標準額**

(1) 7.8%

① 課税資産の譲渡等

国内課税売上高の合計額（税込） $\times \dfrac{100}{110}$

② 特定課税仕入れ

③ ①＋②（千円未満切捨）

(2) 6.24%

国内課税売上高の合計額（税込） $\times \dfrac{100}{108}$（千円未満切捨）

(3) (1)＋(2)＝課税標準額

**2 課税標準額に対する消費税額（積上げ計算はP.31参照）**

(1) 7.8% 課税標準額×7.8%

(2) 6.24% 課税標準額×6.24%

(3) (1)＋(2)＝課税標準額に対する消費税額

**3 控除過大調整税額**

(1) 7.8%

領収した売掛金等の税込金額 $\times \dfrac{7.8}{110}$

(2) 6.24%

領収した売掛金等の税込金額 $\times \dfrac{6.24}{108}$

(3) (1)＋(2)＝控除過大調整税額

**4 控除対象仕入税額**

(1) 課税売上割合

① 課税

イ 課税標準額（千円未満切捨前）（上記1(1)①、(2)）＋免税売上高

ロ 7.8%国内課税売上返還等(税込) $\times \dfrac{100}{110}$＋6.24%国内課税売上返還等(税込)

$\times \dfrac{100}{108}$＋免税売上返還等

ハ イ－ロ $\begin{cases} \leqq 5\text{億円} \Rightarrow 95\%\text{判定へ} \\ > 5\text{億円} \therefore \text{按分必要} \end{cases}$

② 非課税

　イ　株式等・一定の金銭債権×５％＋その他の非
　　課税売上高

　ロ　非課税売上返還等

　ハ　イ－ロ

③ $\dfrac{①}{①+②}$ $\begin{cases} ≧95\% & \therefore \text{全額控除} \\ <95\% & \therefore \text{按分必要} \end{cases}$

　（注）課税売上割合が割り切れないときは分数のま
　　　　まで使用

(2)　課税仕入れ等の区分

　① 課税資産の譲渡等にのみ要するもの

　　イ　A対応の課税仕入れに係る税額

　　ロ　A対応の特定課税仕入れに係る税額

　　ハ　A対応の課税貨物に係る税額

　② その他の資産の譲渡等にのみ要するもの

　　イ　B対応の課税仕入れに係る税額

　　ロ　B対応の特定課税仕入れに係る税額

　　ハ　B対応の課税貨物に係る税額

　③ 共通して要するもの

　　イ　C対応の課税仕入れに係る税額

　　ロ　C対応の特定課税仕入れに係る税額

　　ハ　C対応の課税貨物に係る税額

　④ 合　計

　　イ　課税仕入れに係る税額

　　ロ　特定課税仕入れに係る税額

　　ハ　課税貨物に係る税額

(3)　個別対応方式

　（A）＋（C）×課税売上割合　※

　※　課税売上割合に準ずる割合の承認を受けている
　　ときは、その割合

(4)　一括比例配分方式

　(2)④×課税売上割合

(5)　控除対象仕入税額

　(3)と(4)の有利判定

**5 返還等対価に係る税額（積上げ計算はP.111参照）**

(1) 7.8%

① 売上げに係る税込対価の返還等の金額× $\dfrac{7.8}{110}$

② 特定課税仕入れに係る対価の返還等×7.8%

(2) 6.24%

売上げに係る税込対価の返還等の金額× $\dfrac{6.24}{108}$

(3) (1)+(2)＝返還等対価に係る税額

**6 貸倒れに係る消費税額**

(1) 7.8%

貸倒れの金額× $\dfrac{7.8}{110}$

(2) 6.24%

貸倒れの金額× $\dfrac{6.24}{108}$

(3) (1)+(2)＝貸倒れに係る消費税額

**7 差引税額**

2＋3－（4＋5＋6）＝XXX,XXX円→XXX,X00円

(百円未満切捨)

**8 納付税額**

7－中間納付税額

（注1）各項目において、令和元年9月30日以前は6.3%が適用される点に留意する。

（注2）軽減税率の対象となる取引については6.24%が適用される点に留意する。

# 25 仕入れに係る対価の返還等

●学習のポイント●

仕入れに係る対価の返還等があった場合及び課税貨物に係る消費税額の還付を受けた場合の処理を覚える。

## ■ ポイント整理

仕入れの返品や値引き・割戻し等は、仕入れのマイナス項目である。したがって、消費税法は、仕入れに係る消費税額から、その返品等に係る消費税額を控除することとしている。これらの項目を総称して「仕入れに係る対価の返還等」という。

### 〔1〕仕入れに係る対価の返還等の具体的範囲

| | |
|---|---|
| (1) | 仕 入 返 品 |
| (2) | 仕 入 値 引 |
| (3) | 仕 入 割 戻 |
| (4) | 仕 入 割 引 |
| (5) | 販 売 奨 励 金（現金によるもの） |
| (6) | 事業分量配当金 |

### 〔2〕仕入れに係る対価の返還等の処理
#### (1) 計算パターン
#### ① 割戻し計算（原則）

① イ 7.8%

課税仕入れに係る税込対価の返還等の金額 $\times \dfrac{7.8}{110}$

ロ 6.24%

課税仕入れに係る税込対価の返還等の金額 $\times \dfrac{6.24}{108}$

ハ イ＋ロ

② 特定課税仕入れに係る対価の返還等の金額×7.8%

③ ①＋②＝仕入れに係る対価の返還等に係る消費税額

② **積上げ計算（特例）**

| ① | 適格返還請求書に記載された消費税額等×78% |
| --- | --- |
| ② | 特定課税仕入れに係る対価の返還等の金額×7.8% |
| ③ | ①＋②＝仕入れに係る対価の返還等に係る消費税額 |

## (2) 全額控除の場合

$$\dfrac{課税仕入れ等}{の税額の合計額} - \dfrac{仕入返還等に}{係る消費税額}(※) = \dfrac{控除対象}{仕入税額}$$

※ **控除の時期**

　仕入れに係る対価の返還等に係る消費税額は、その「返還等を受けた日の属する課税期間」において控除する。たとえ、その返還等が前期以前の仕入れに係るものであっても処理が必要である。

## (3) 個別対応方式の場合

| ① | A対応の課税仕入れ　　A対応の仕入返還<br>等の**税額**の合計額 － 等に係る**消費税額** |
| --- | --- |
| ② | $\left[\dfrac{C対応の課税}{仕入れ等の税額の合計額}×\dfrac{課税売}{上割合}{※}\right] - \left[\dfrac{C対応の仕入}{返還等に係る消費税額}×\dfrac{課税売}{上割合}{※}\right]$ |
| ③ | ①＋②＝控除対象仕入税額 |

※ 又は課税売上割合に準ずる割合

## (4) 一括比例配分方式の場合

$$\left[\dfrac{課税仕入れ}{等の税額の合計額}×\dfrac{課税売}{上割合}\right] - \left[\dfrac{仕入返還}{等に係る消費税額}×\dfrac{課税売}{上割合}\right] = \dfrac{控除対象}{仕入税額}$$

## (5) 控除しきれない場合

　「仕入れに係る対価の返還等に係る消費税額」がその課税期間における「課税仕入れ等の税額の合計額」から控除して控除しきれない金額は、課税資産の譲渡等に係る消費税額とみなして、その課税期間の「課税標準額に対する消費税額」に加算する。

## 〔3〕課税貨物に係る消費税額の還付があった場合の処理

### (1) 全額控除の場合

$$\begin{array}{l}\text{課税仕入れ等}\\\text{の\textbf{税額}の合計額}\end{array} - \begin{array}{c}\text{引取りの還付\textbf{税額}}\\\text{(※1)(※2)}\end{array} = \text{控除対象仕入税額}$$

※1 **控除の時期**

引取りに係る還付税額は、その「還付を受ける日の属する課税期間」において控除する。たとえ、その還付が前期以前の仕入れに係るものであっても処理が必要である。

※2 税関より還付された税額（国税部分）をそのまま使用する。

### (2) 個別対応方式の場合

① $\begin{array}{l}\text{A対応の課税仕入れ}\\\text{等の\textbf{税額}の合計額}\end{array} - \begin{array}{l}\text{A対応の引取}\\\text{りの還付\textbf{税額}}\end{array}$

② $\left[\begin{array}{l}\text{C対応の課税}\\\text{仕入れ等の\textbf{税}}\\\text{\textbf{額}の合計額}\end{array} \times \begin{array}{l}\text{課税売}\\\text{上割合}\\\text{※}\end{array}\right] - \left[\begin{array}{l}\text{C対応の引取}\\\text{りの還付\textbf{税額}}\end{array} \times \begin{array}{l}\text{課税売}\\\text{上割合}\\\text{※}\end{array}\right]$

③ ①＋②＝控除対象仕入税額

※ 又は課税売上割合に準ずる割合

### (3) 一括比例配分方式の場合

$$\left[\begin{array}{l}\text{課税仕入れ}\\\text{等の\textbf{税額}の}\\\text{合計額}\end{array} \times \begin{array}{l}\text{課税売}\\\text{上割合}\end{array}\right] - \left[\begin{array}{l}\text{引取りの}\\\text{還付税額}\end{array} \times \begin{array}{l}\text{課税売}\\\text{上割合}\end{array}\right] = \begin{array}{l}\text{控除対象}\\\text{仕入税額}\end{array}$$

### (4) 控除しきれない場合

仕入れに係る対価の返還等と同様の処理をする。

## ■ 設 例

次の〔資料〕から、個別対応方式及び一括比例配分方式により控除対象仕入税額を求めなさい。

なお、金額は税込みであり、課税売上割合は80%である。

また、計算は割戻し計算により行うこととする。

〔資 料〕

(1) 課税仕入れ等

① 課税売上げにのみ対応する課税仕入れ等　　　71,500,000円

上記金額の内訳は、次のとおりである。

イ　国内における課税仕入れ　　　　　　　　55,000,000円

ロ　保税地域から引き取った課税貨物　　　　16,500,000円

この16,500,000円には税関に支払った消費税額1,170,000円及び地方消費税額330,000円が含まれている。

② 非課税売上げにのみ対応する課税仕入れ　　　11,000,000円

③ 課税、非課税に共通して要する課税仕入れ　　44,000,000円

(2) 特定課税仕入れの金額　　　　　　　　　　　　1,500,000円

すべて課税売上げにのみ対応するものである。

(3) 仕入戻り高　　　　　　　　　　　　　　　　　3,320,000円

上記金額の内訳は、次のとおりである。

① 上記(1)①イの課税仕入れに係るもの　　　　3,300,000円

② 上記(2)の特定課税仕入れに係るもの　　　　　20,000円

(4) 引取りにつき還付を受けた消費税額及び地方消費税額

上記(1)①ロの課税貨物に係るもの　　　　　　400,000円

（消費税額312,000円及び地方消費税額88,000円の合計額である。）

## ■ 解　説

(1)　**課税仕入れ等の区分**

①　課税資産の譲渡等にのみ要するもの

イ　課税仕入れ　$55,000,000円 \times \dfrac{7.8}{110} = 3,900,000円$

ロ　特定課税仕入れ　$1,500,000円 \times 7.8\% = 117,000円$

ハ　課 税 貨 物　$1,170,000円$

ニ　仕入返還等　$3,300,000円 \times \dfrac{7.8}{110} = 234,000円$

ホ　特定課税仕入返還等　$20,000円 \times 7.8\% = 1,560円$

ヘ　引 取 還 付　$312,000円$

②　その他の資産の譲渡等にのみ要するもの

$$11,000,000円 \times \dfrac{7.8}{110} = 780,000円$$

③　共通して要するもの

$$44,000,000円 \times \dfrac{7.8}{110} = 3,120,000円$$

④　合　　計

イ　課税仕入れ

$55,000,000円 + 11,000,000円 + 44,000,000円$
$= 110,000,000円$

$$110,000,000円 \times \dfrac{7.8}{110} = 7,800,000円$$

ロ　特定課税仕入れ　$117,000円$

ハ　課 税 貨 物　$1,170,000円$

ニ　仕入返還等　$234,000円$

ホ　特定課税仕入返還等　$1,560円$

ヘ　引 取 還 付　$312,000円$

(2)　**個別対応方式**

$(3,900,000円 + 117,000円 + 1,170,000円 - 234,000円 - 1,560円$
$- 312,000円) + 3,120,000円 \times 80\% = 7,135,440円$

(3)　**一括比例配分方式**

$(7,800,000円 + 117,000円 + 1,170,000円) \times 80\% - (234,000円$
$+ 1,560円) \times 80\% - 312,000円 \times 80\% = 6,831,552円$

(4)　**判定**

(2) ＞ (3)　　∴　7,135,440円

25

仕入れに係る対価の返還等

# 26 非課税資産の輸出等

重要度A
★★★

## ●学習のポイント●

1. 非課税資産の輸出を行った場合の処理について覚える。
2. 国外支店等へ資産を移送する場合の処理について覚える。

## ■ ポイント整理

　非課税とされる資産を輸出販売した場合、又は国外における資産の譲渡等や自己の使用のために資産を輸出した場合には、間接的に日本の消費税を国外の消費者に負担させることとなり、消費地課税主義の観点から適当ではない。そこで、これらの輸出を「免税売上げ」とみなして、控除対象仕入税額の計算を行うことにより、国外の消費者への転嫁を防いでいる。

### 【具体例】 車椅子の輸出販売

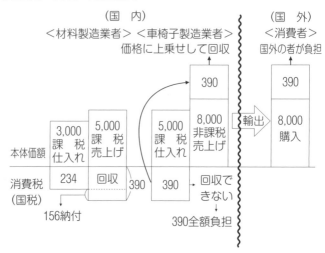

　このように、国外の者に負担させることを防ぐため、非課税売上げを免税売上げとみなすことにより、本来控除できないB対応（P.92参照）の仕入税額の控除を認めることとしている。

## 〔1〕 非課税資産の輸出を行った場合

### (1) 計算上の処理

#### ① 課税売上割合の計算

非課税資産の輸出売上高を「課税資産の譲渡等の対価の額の合計額(=分子)」に加算する。

$$課税売上割合 = \frac{課税売上高 \ + \ 非課税資産の輸出売上高}{課税売上高 \ + \ 非課税売上高}$$

#### ② 区分経理

個別対応方式の場合、非課税資産の輸出に係る課税仕入れ等は本来B対応であるが、これをA対応に区分することにより、すべて控除できるようにする。

| 非課税資産の輸出に係る課税仕入れ等 | → | 「課税売上げにのみ要するもの」として区分経理(A対応) |
|---|---|---|

### (2) 非課税資産の輸出の具体例

① 非課税資産(身体障害者用物品など)の輸出
② 非課税とされる外国貨物の譲渡、貸付け(①を除く。)
③ 国外の者(非居住者)に対する信用の保証としての役務の提供
④ 国外の者(非居住者)に対する貸付金等に係る受取利息
⑤ 国外の金融機関(非居住者)への預金等に係る受取利息
⑥ 外国債等に係る受取利子

### (3) 適用除外

課税売上割合を恣意的に操作することを防ぐために、「有価証券」「支払手段」「金銭債権」の輸出には、当該規定は適用されない。

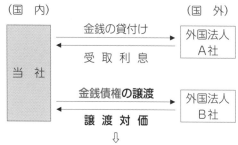

⇩
「非課税資産の輸出」の適用なし

〔2〕資産の国外移送を行った場合

(1) 計算上の処理

① 課税売上割合の計算

資産の国外移送は販売ではないため売上金額が存在しない。このため、その代わりとなる適正な金額である「本船甲板渡し価格」を用いる。すなわち、「本船甲板渡し価格」を「課税資産の譲渡等の対価の額の合計額（＝分子）」及び「資産の譲渡等の対価の額の合計額（＝分母）」に算入する。

$$\text{課税売上割合} = \frac{\text{課税売上高} + \text{本船甲板渡し価格（※）}}{\text{課税売上高} + \text{非課税売上高} + \text{本船甲板渡し価格（※）}}$$

※ 本船甲板渡し価格

「本船甲板渡し価格」とは、貨物船に積み込むまでに要した費用すべての合計金額をいい、「FOB価格」とも呼ばれる。

② 区分経理

国外移送に係る課税仕入れ等 → 「課税売上げにのみ要するもの」として区分経理（A対応）

(2) 資産の国外移送の具体例

① 国外支店において販売するための商品等をその支店あてに輸出する場合

② 国外支店において使用するための事務機器等をその支店あてに輸出する場合

(3) 適用除外

非課税資産の輸出と同様に「有価証券」「支払手段」「金銭債権」の輸出には適用されない。

## ■ 設 例

　次の〔資料〕に基づいて、当期（令和7年4月1日から令和8年3月31日まで）の課税売上割合を求めなさい。なお、当社は税込経理方式を採用している。

〔資 料〕

1　商品売上高　　　　　　　　　　　　　　　490,061,490円

　　上記金額の内訳は、次のとおりである。

　(1)　国内の事業者に対する売上高　　　　　426,461,490円

　(2)　輸出免税の対象となる売上高　　　　　 33,600,000円

　(3)　海外支店における売上高　　　　　　　 30,000,000円

2　受取利息　　　　　　　　　　　　　　　　　434,400円

　　上記金額の内訳は、預金利息102,000円、貸付金利息332,400円（このうち168,000円は海外の事業者（非居住者）に対する貸付金利息である。）である。

3　土地売却収入　　　　　　　　　　　　　　96,000,000円

4　売上げに係る対価の返還等　　　　　　　　12,380,520円

　　上記金額の内訳は、次のとおりである。

　(1)　当期の国内商品売上げに係るもの　　　 10,844,520円

　(2)　当期の輸出免税売上げに係るもの　　　　1,056,000円

　(3)　当期の国外売上げに係るもの　　　　　　 480,000円

5　海外支店に輸出した商品の本船甲板渡し価格は18,000,000円である。

## ■ 解 説

**(1)　課 税**

①　$426,461,490円 \times \dfrac{100}{110} + 33,600,000円 = 421,292,263円$

②　$10,844,520円 \times \dfrac{100}{110} + 1,056,000円 = 10,914,654円$

③　① − ② = 410,377,609円 ≦ 500,000,000円

**(2)　非課税**

　434,400円 + 96,000,000円 = 96,434,400円

(3)　$\dfrac{(1) + 168,000円 + 18,000,000円}{(1) + (2) + 18,000,000円} = \dfrac{428,545,609円}{524,812,009円}$

　= 0.8165… ＜ 95%　　∴　按分必要

# 27 課税売上割合の著しい変動

重要度B
★★

●学習のポイント●

課税売上割合が著しく変動した場合の処理について覚える。
(1) 調整を必要とする調整対象固定資産は、どのようなものか。
(2) 調整税額の計算及び適用要件を理解する。

## ■ ポイント整理

消費税の仕入税額控除は、資産の種類を問わず、原則として仕入れた課税期間においてすべて控除することとしている。

しかし、固定資産のように長期にわたり使用されるものについて、「仕入れ時の課税売上割合」のみで税額控除を完結させることは、課税売上割合が著しく変動した場合には、適切な方法とはいえない。

そこで、課税売上割合が著しく変動した場合には、一定の固定資産（調整対象固定資産）について、仕入れに係る消費税額を調整することとしている。

### 〔1〕調整対象固定資産とは

#### ♪ ここを覚えろ！

調整対象固定資産とは、棚卸資産以外の資産で、建物、構築物、機械及び装置、船舶、航空機、車両及び運搬具、工具、器具及び備品、特許権等の無形固定資産、ゴルフ場利用株式等のうち、

$$課税仕入れに係る支払対価 \times \frac{100}{110} \geqq 100万円$$

$$特定課税仕入れに係る支払対価 \geqq 100万円$$

$$課税貨物の課税標準 \geqq 100万円$$

となるものをいう。

(注) 通常、一組又は一式をもって取引の単位とされるものにあっては、一組又は一式ごとに100万円以上かどうかを考える。

〔2〕課税売上割合が著しく変動した場合

　　　次の(1)～(4)の要件にすべて該当する場合には、その第3年度の課税期間（※1）における「本来の仕入れに係る消費税額」に「調整税額」を加減算し、調整する。

┌─ ここを覚えろ！ ────────────────────┐

● 「著しい変動」の要件
(1) 課税事業者が、「調整対象固定資産」の課税仕入れ、特定課税仕入れ又は課税貨物の引取りを行っていること。
(2) その仕入れ等の課税期間において「比例配分法」（※2）により税額計算していること。
(3) 第3年度の課税期間（※1）の末日において、その調整対象固定資産を保有していること。
(4) 「第3年度の課税期間における通算課税売上割合」が「仕入れ等の課税期間における課税売上割合」に対して著しく変動している（※3）こと。

└──────────────────────────────┘

※1　第3年度の課税期間とは
　　　仕入れ等の課税期間の開始の日から3年を経過する日の属する課税期間をいう。

※2　比例配分法とは
　　　課税売上割合を乗じて計算することをいい、具体的には次のものを指す。
(1) 個別対応方式の共通対応部分の計算
(2) 一括比例配分方式
(注) 仕入れ等の課税期間の課税仕入れ等の税額の全額が控除された場合も同様の取扱いとなる。

※3　著しい変動
(1) 変動差　　AとBとの差　　$\geq$　5%
(2) 変動率　　$\dfrac{\text{AとBとの差}}{\text{A}}$　　$\geq$　50%
　　　　　　　　　　　　　　　　　(1)(2)両方満たして「著しい変動」

A：仕入れ等の課税期間の課税売上割合
B：通算課税売上割合

$$= \dfrac{\text{通算課税期間中の課税売上高}}{\text{通算課税期間中の課税売上高} + \text{通算課税期間中の非課税売上高}}$$

## ●著しい変動の計算パターン

① 調整対象固定資産の判定

イ 課税仕入れに係る支払対価 × $\dfrac{100}{110}$ ≧1,000,000円
∴ 該当する

ロ 特定課税仕入れに係る支払対価 ≧1,000,000円
∴ 該当する

ハ 課税貨物の課税標準 ≧1,000,000円
∴ 該当する

② 著しい変動の判定

イ 仕入れ等の課税期間の課税売上割合

ロ 通算課税売上割合

ハ 変動差 イとロの差 ≧ 5 %

ニ 変動率 $\dfrac{イとロの差}{イ}$ ≧ 50%

∴ 著しい変動に該当

③ 調整税額

イ 調整対象基準税額

(イ) 課税仕入れに係る消費税額（※1・2）

(ロ) 特定課税仕入れに係る消費税額

(ハ) 課税貨物に係る税額

ロ 仕入れ時の控除税額

調整対象基準税額 × 仕入れ等の課税期間の課税売上割合

ハ 通算課税売上割合による控除税額

調整対象基準税額 × 通算課税売上割合

ニ 調整税額

ロとハの差額

④ 控除対象仕入税額

イ 著しく増加した場合（③ロ<ハ）

本来の控除対象仕入税額 ＋ 調整税額

ロ 著しく減少した場合（③ロ>ハ）

本来の控除対象仕入税額 － 調整税額（※3）

※1 令和元年10月1日から令和5年9月30日までに取得した場合

課税仕入れに係る支払対価 × $\dfrac{7.8}{110}$

※2　**令和5年10月1日以後に取得した場合**
　　適格請求書等に記載された消費税額等×78%

※3　**控除しきれない場合**
　　調整の結果、「本来の控除対象仕入税額」から控除しきれない金額があるときは、課税資産の譲渡等に係る消費税額とみなして、その第3年度の課税期間の「課税標準額に対する消費税額」に加算する。

(注)　各項目において、令和元年9月30日以前は6.3%が適用される点に留意する。

## ■■ 設　例

　次の〔資料〕から、割戻し計算により、当社（課税事業者）の当期（令和7年4月1日から令和8年3月31日まで）の控除対象仕入税額を計算しなさい。

　なお、当社の事業年度は毎期4月1日から翌年3月31日までであり、設立以来、消費税の課税事業者に該当している。また、前期及び前々期の控除対象仕入税額の計算方法は、個別対応方式によっている。

〔資　料〕
1　各課税期間における売上高は次のとおりであるが、いずれも税込金額である。

| | 当　期 | 前　期 | 前々期 |
|---|---|---|---|
| 課税売上高 | 115,500,000円 | 148,500,000円 | 33,000,000円 |
| 非課税売上高 | 195,000,000円 | 65,000,000円 | 70,000,000円 |

2　当期の課税仕入れ（税込金額）の内訳は、次のとおりである。
(1)　課税資産の譲渡等にのみ要するもの　　　　　55,081,000円
(2)　その他の資産の譲渡等にのみ要するもの　　　787,500円
(3)　課税資産の譲渡等とその他の資産の譲渡等に共通して要するもの　　　　　　　　　　　　　　　　　　34,962,000円

3　前々期において次の固定資産を購入しており、いずれも当期末において所有している。また、取得価額について、消費税が課税されるものは、消費税込みの金額により計上している。

| | 取得価額 | 取得日 | 備考 |
|---|---|---|---|
| 建　物　A | 22,000,000円 | 令和5年6月20日 | (注1) |
| 土　地　B | 52,500,000円 | 令和5年6月20日 | |
| ゴルフ場利用株式等 | 1,045,000円 | 令和5年7月2日 | (注1) |
| 車　両　C | 2,750,000円 | 令和5年11月16日 | (注2) |

（注1）課税資産の譲渡等とその他の資産の譲渡等に共通して要するものとして処理している。

（注2）課税資産の譲渡等にのみ要するものとして処理している。

## ■ 解　説

### (1) 課税売上割合

① 課　税

$$115,500,000円 \times \frac{100}{110} = 105,000,000円 \leqq 500,000,000円$$

② 非課税　　195,000,000円

③ $\dfrac{①}{①+②} = 0.35 < 95\%$　　∴　按分必要

### (2) 課税仕入れ等の区分

① 課税資産の譲渡等にのみ要するもの

$$55,081,000円 \times \frac{7.8}{110} = 3,905,743円$$

② その他の資産の譲渡等にのみ要するもの

$$787,500円 \times \frac{7.8}{110} = 55,840円$$

③ 共通して要するもの

$$34,962,000円 \times \frac{7.8}{110} = 2,479,123円$$

④ 合　計

$$55,081,000円 + 787,500円 + 34,962,000円 = 90,830,500円$$

$$90,830,500円 \times \frac{7.8}{110} = 6,440,708円$$

### (3) 個別対応方式

$$3,905,743円 + 2,479,123円 \times 0.35 = 4,773,436円$$

### (4) 一括比例配分方式

$$6,440,708円 \times 0.35 = 2,254,247円$$

### (5) 判　定

(3) ＞ (4)　　∴　4,773,436円

### (6) 調整対象固定資産の判定

建物A　　22,000,000円 $\times \dfrac{100}{110} = 20,000,000円 \geqq 100万円$

∴　該当する

ゴルフ場利用株式等　1,045,000円 $\times \dfrac{100}{110} = 950,000円 < 100万円$

∴　該当しない

車両C　　　　2,750,000円 × $\dfrac{100}{110}$ = 2,500,000円 ≧ 100万円

∴　該当する

　※　土地は調整対象固定資産に該当しない。

**⑺　仕入れ等の課税期間の課税売上割合**

① 　課　　税

33,000,000円 × $\dfrac{100}{110}$ = 30,000,000円

② 　非課税　　　　　　　　70,000,000円

③ 　$\dfrac{①}{①+②}$ = 0.3

**⑻　通算課税売上割合**

① 　課　　税

30,000,000円 + 135,000,000円（※）+ 105,000,000円

= 270,000,000円

※　148,500,000円 × $\dfrac{100}{110}$ = 135,000,000円

② 　非課税

70,000,000円 + 65,000,000円 + 195,000,000円

= 330,000,000円

③ 　$\dfrac{①}{①+②}$ = 0.45

**⑼　著しい変動の判定**

① 　変動差　 ⑻－⑺ = 0.15 ≧ 5 ％

② 　変動率　$\dfrac{①}{⑺}$ = 0.5 ≧ 50 ％

∴　著しい変動（増加）に該当

**⑽　調整税額**

① 　調整対象基準税額

22,000,000円 × $\dfrac{7.8}{110}$ = 1,560,000円

　（注）車両は比例配分法により計算していないため調整なし

② 　調整税額

1,560,000円 × 0.45 － 1,560,000円 × 0.3 = 234,000円

**⑾　控除対象仕入税額**

4,773,436円 + 234,000円 = 5,007,436円

## 28 調整対象固定資産の転用

重要度B
★★

●学習のポイント●

調整対象固定資産の購入時の使用目的が、その後変更（転用）
された場合の処理について、調整税額の計算及び適用要件を理解
する。

### ■ ポイント整理

消費税の仕入税額控除は、資産の種類を問わず、原則として
仕入れた課税期間においてすべて控除することとしている。

しかし、固定資産のように長期にわたり使用されるものについて、「仕入れ時の売上げとの対応」のみで税額控除を完結させることは、その後、「他の売上げに対応」する用途に変更した場合には、適切な方法とはいえない。

そこで、用途の変更（＝転用）があった場合には、一定の固定資産（調整対象固定資産）について、仕入れに係る消費税額を調整することとしている。

### 〔1〕課税業務用から非課税業務用に転用した場合

次の(1)〜(3)の要件にすべて該当する場合には、その転用までの期間に応じた「調整税額」を、その転用した日の属する課税期間の「仕入れに係る消費税額」から控除する。

### ここを覚えろ！

#### ●「課税業務用から非課税業務用への転用」の要件
(1) 課税事業者が、「調整対象固定資産」の課税仕入れ、特定課税仕入れ又は課税貨物の引取りを行っていたこと。
(2) その仕入れ等の課税期間において「調整対象固定資産の税額」につき、「個別対応方式」により「課税資産の譲渡等にのみ要するもの（A対応）」として税額控除を行っていたこと。
(3) その調整対象固定資産を仕入れ等の日から3年以内に「その他の資産の譲渡等にのみ要するもの（B対応）」に転用していること。

〔2〕非課税業務用から課税業務用に転用した場合

　　次の(1)～(3)の要件にすべて該当する場合には、その転用まで
の期間に応じた「調整税額」を、その転用した日の属する課税
期間の「仕入れに係る消費税額」に加算する。

　ここを覚えろ！

● 「非課税業務用から課税業務用への転用」の要件
(1)　課税事業者が、「調整対象固定資産」の課税仕入れ、
　　特定課税仕入れ又は課税貨物の引取りを行っていたこと。
(2)　その仕入れ等の課税期間において「調整対象固定資産
　　の税額」につき、「個別対応方式」により「その他の資
　　産の譲渡等にのみ要するもの（B対応)」として仕入れ
　　に係る消費税額がないこととしていたこと。
(3)　その調整対象固定資産を仕入れ等の日から3年以内に
　　「課税資産の譲渡等にのみ要するもの（A対応)」に転用
　　していること。

## ●転用の計算パターン

① 調整対象固定資産の判定

イ 課税仕入れに係る支払対価 × $\dfrac{100}{110}$ ≧1,000,000円

∴ 該当する

ロ 特定課税仕入れに係る支払対価 ≧1,000,000円

∴ 該当する

ハ 課税貨物の課税標準 ≧1,000,000円

∴ 該当する

② 調整税額

イ 調整対象税額

(イ) 課税仕入れに係る消費税額（P.134参照）

(ロ) 特定課税仕入れに係る消費税額

(ハ) 課税貨物に係る税額

ロ 調整税額

(イ) 仕入れ等の日から1年以内の転用

調整対象税額の全額

(ロ) 仕入れ等の日から1年を超え、2年以内の転用

調整対象税額 × $\dfrac{2}{3}$

(ハ) 仕入れ等の日から2年を超え、3年以内の転用

調整対象税額 × $\dfrac{1}{3}$

③ 控除対象仕入税額

イ 課税業務用から非課税業務用に転用した場合（※）

本来の控除対象仕入税額 － 調整税額

ロ 非課税業務用から課税業務用に転用した場合

本来の控除対象仕入税額 ＋ 調整税額

※ **控除しきれない場合**

調整の結果、「本来の控除対象仕入税額」から控除しきれない金額があるときは、課税資産の譲渡等に係る消費税額とみなして、その転用した日の属する課税期間の「課税標準額に対する消費税額」に加算する。

（注）各項目において、令和元年9月30日以前は6.3％が適用される点に留意する。

## ■ 設 例

次の場合において、仕入れに係る消費税額の調整税額を求めなさい。
1　1年決算法人である甲社の当期は令和7年4月1日から令和8年3月31日までである。
2　甲社は前期及び前々期の仕入税額控除の方法につき個別対応方式を採用している。また、甲社は税込経理方式を採用している。
3　調整対象固定資産に関する資料
 (1)　テナントビル
 ①　購入年月日　　　　令和6年6月1日
 ②　購入金額　　　　　238,425,000円（建物部分）
 ③　使用目的　　　　　本社事務所として使用するために購入
 　　　　　　　　　　　（共通対応に区分）したものを当期首から
 　　　　　　　　　　　テナントビルとして貸し付けることとした。
 (2)　マンション
 ①　購入年月日　　　　令和5年5月1日
 ②　購入金額　　　　　土地部分　　1,000,000,000円
 　　　　　　　　　　　建物部分　　 330,000,000円
 ③　使用目的　　　　　建物部分20室をすべて事務所用として貸
 　　　　　　　　　　　し付けていたが、令和7年4月1日より、
 　　　　　　　　　　　すべて社宅として貸し付けることとした。

**28**

調整対象固定資産の転用

## ■ 解 説

### (1)　調整対象固定資産の判定

① テナントビル

$238,425,000円 \times \dfrac{100}{110} = 216,750,000円 \geq 1,000,000円$

② マンション

$330,000,000円 \times \dfrac{100}{110} = 300,000,000円 \geq 1,000,000円$

∴　いずれも該当する

### (2)　調整税額

① 調整対象税額

マンション　$330,000,000円 \times \dfrac{7.8}{110} = 23,400,000円$

（注）テナントビルは共通対応から課税売上げ対応への用途変更であるため、調整なし

② 調整税額

$23,400,000円 \times \dfrac{2}{3}$　（※）　$= 15,600,000円$（減算）

※　令和5年5月1日〜令和7年4月1日

∴　1年超2年以内の転用

# 29 居住用賃貸建物に係る消費税額の調整

重要度B
★★

●学習のポイント●

居住用賃貸建物について仕入控除税額を調整する場合の調整税
額の計算及び適用要件を理解する。

## ■ ポイント整理

居住用賃貸建物を取得した場合には、その課税仕入れ等の税
額については仕入税額控除が制限されることになる。

しかし、その後の課税期間において当該建物の用途を変更し
たり、譲渡したりすることも考えられる。その場合、仕入控除
税額を調整することとなっている。

### 〔1〕居住用賃貸建物を課税賃貸用に供した場合

(1) 次の①～③の要件にすべて該当する場合には、「調整税額」
を、第3年度の課税期間の「仕入れに係る消費税額」に加算す
る。

### ここを覚えろ！

●要件
① 課税事業者が居住用賃貸建物に係る仕入税額控除の
制限の適用を受けたこと。
② 第3年度の課税期間の末日において、居住用賃貸建
物を保有していること。
③ 居住用賃貸建物を、その仕入れ等の日から第3年度
の課税期間の末日までの間（調整期間）に住宅の貸付
け以外の貸付けの用（課税賃貸用）に供したこと。

(2)　**用語の意義**
　① 　居住用賃貸建物
　　　非課税とされる住宅の貸付けの用に供しないことが明らか
　　な建物（附属設備を含む。）以外の建物（高額特定資産又は
　　調整対象自己建設高額資産に限る。）をいう。
　② 　第3年度の課税期間
　　　居住用賃貸建物の仕入れ等の日の属する課税期間の開始の
　　日から3年を経過する日の属する課税期間をいう。
　③ 　居住用賃貸建物の仕入れ等の日
　　　居住用賃貸建物の課税仕入れの日（注）をいう。
　　（注）その居住用賃貸建物が自己建設高額特定資産である場
　　　　　合にあっては、その建設等が完了した日
　④ 　調整期間
　　　居住用賃貸建物の仕入れ等の日から第3年度の課税期間の
　　末日までの間をいう。
　⑤ 　課税賃貸割合
　　　調整期間に行ったその居住用賃貸建物の貸付けの対価の額
　　の合計額のうちに、その居住用賃貸建物の課税賃貸用の貸付
　　けの対価の額の合計額の占める割合として一定の方法により
　　計算した割合をいう。

## 参　考　居住用賃貸建物に係る仕入税額控除の制限

　事業者が国内において行う居住用賃貸建物に係る課税仕入れ等の
税額については、仕入れに係る消費税額の控除の規定を適用しない。

(3) 計算パターン

**【控除対象仕入税額】**

　　～中略～

① 個別対応方式

② 一括比例配分方式

③ 判　定

　　① ＞ ②　∴　×××円

**【居住用賃貸建物に係る仕入れに係る消費税額の調整】**

① 居住用賃貸建物の判定

　　課税仕入れ等に係る支払対価× $\dfrac{100}{110}$ ＝×××円

　　≧10,000,000円　∴　該当する

② 課税賃貸割合

$$\dfrac{\text{Aのうち課税賃貸用に供したものに係る金額}}{\text{調整期間に行った居住用賃貸建物の貸付けの対価の額（※）の合計額（A）}}$$

　※　「対価の額」は、税抜金額で算出する。

　　　また、値引き等（対価の返還等）があれば、これを

　控除する。

③ 調整税額

　　課税仕入れ等の税額×課税賃貸割合＝×××円

④ 控除対象仕入税額（加算調整）

　　本来の控除対象仕入税額＋調整税額＝×××円

## 〔2〕居住用賃貸建物を譲渡した場合

(1) 次の①～②の要件にすべて該当する場合には、「調整税額」を、譲渡した課税期間の「仕入れに係る消費税額」に加算する。

> ### ここを覚えろ！
>
> ●要件
> ① 課税事業者が居住用賃貸建物に係る仕入税額控除の制限の適用を受けたこと。
> ② 居住用賃貸建物を、その仕入れ等の日から第3年度の課税期間の末日までの間（調整期間）に他の者に譲渡したこと。

(2) 用語の意義
① 居住用賃貸建物
    非課税とされる住宅の貸付けの用に供しないことが明らかな建物（附属設備を含む。）以外の建物（高額特定資産又は調整対象自己建設高額資産に限る。）をいう。
② 第3年度の課税期間
    居住用賃貸建物の仕入れ等の日の属する課税期間の開始の日から3年を経過する日の属する課税期間をいう。
③ 居住用賃貸建物の仕入れ等の日
    居住用賃貸建物の課税仕入れの日（注）をいう。
    （注）その居住用賃貸建物が自己建設高額特定資産である場合にあっては、その建設等が完了した日
④ 調整期間
    居住用賃貸建物の仕入れ等の日から第3年度の課税期間の末日までの間をいう。
⑤ 課税譲渡等調整期間
    居住用賃貸建物の仕入れ等の日からその居住用賃貸建物を他の者に譲渡した日までの間をいう。
⑥ 課税譲渡等割合
    課税譲渡等調整期間に行ったその居住用賃貸建物の貸付けの対価の額の合計額及びその居住用賃貸建物の譲渡の対価の額の合計額のうちに、その居住用賃貸建物の課税賃貸用の貸付けの対価の額の合計額及びその居住用賃貸建物の譲渡の対価の額の合計額の占める割合として一定の方法により計算した割合をいう。

(3) 計算パターン

ここを覚えろ！

【控除対象仕入税額】
　　～中略～
① 個別対応方式
② 一括比例配分方式
③ 判　定
　　① ＞ ②　∴　×××円

【居住用賃貸建物に係る仕入れに係る消費税額の調整】
① 居住用賃貸建物の判定

課税仕入れ等に係る支払対価 × $\dfrac{100}{110}$ ＝×××円

≧10,000,000円　∴　該当する

② 課税譲渡等割合

$\dfrac{\text{Bのうち課税賃貸用に供したものに係る金額 ＋ Cの金額}}{\begin{array}{l}\text{課税譲渡等調整期間に行った}\\ \text{居住用賃貸建物の貸付けの対価 ＋ 居住用賃貸建物の譲渡の対価の額 (※)}\\ \text{の額 (※) の合計額 (B)}\hspace{3.5em}\text{(C)}\end{array}}$

　※　「対価の額」は、税抜金額で算出する。
　　　また、値引き等（対価の返還等）があれば、これを
　　控除する。
③ 調整税額
　　課税仕入れ等の税額×課税譲渡等割合＝×××円
④ 控除対象仕入税額（加算調整）
　　本来の控除対象仕入税額＋調整税額＝×××円

29

居住用賃貸建物に係る消費税額の調整

# 30 棚卸資産に係る消費税額の調整

重要度B
★★

## ●学習のポイント●

1. 適用対象事業者となるのは、どのような場合か。
2. 「適用対象となる資産」と「調整方法」を、適用対象事業者ごとに理解する。

## ■ ポイント整理

免税事業者である課税期間に商品等を仕入れ、課税事業者である課税期間に販売する場合、又は課税事業者である課税期間に商品等を仕入れ、免税事業者である課税期間に販売する場合には、預かった消費税額と支払った消費税額の計算につき不合理が生じるため、課税仕入れ等の税額を調整することとしている。

### 〔1〕免税事業者が課税事業者となった場合
#### (1) 内 容

> 新たに課税事業者となった場合において、その課税事業者となった課税期間の前課税期間の末日に有する棚卸資産のうち、免税事業者であった期間中に仕入れたもの(※1)についてはその課税仕入れ等に係る消費税額(※2)を、その新たに課税事業者となった課税期間の**課税仕入れ等の税額に加算**する。

#### ※1 適用対象資産

前期に限らず、前期以前で免税事業者であった期間中に仕入れた棚卸資産のうち、前期末に有するもの(=当期首棚卸資産)につき処理を行う。

| 27 期 | 28 期 | 29 期 | 30 期 | 31期(当期) |
|-------|-------|-------|-------|-------------|
| 免税  | 課税  | 免税  | 免税  | 課税        |

この部分は28期
に処理される

免税事業者であった期間

この期間中に仕入れた棚卸資産で当期首に残っているものについて調整

※2　**課税仕入れ等に係る消費税額**

$$= \begin{cases} \text{適用対象棚卸資産の課税仕入れの金額} \times \dfrac{7.8}{110} \\ \qquad\qquad\qquad 又\quad は \\ \text{適用対象棚卸資産の課税貨物の金額} \times \dfrac{7.8}{110} \end{cases}$$

（注）軽減税率の場合は $\times \dfrac{6.24}{108}$

#### (2)　適用要件

　この規定は、課税仕入れ等に係る棚卸資産の明細を記録した書類を保存しなければ適用しない。

　ただし、災害その他やむを得ない事情によりその保存をすることができなかったことを証明した場合には、この限りでない。

### 〔2〕課税事業者が免税事業者となった場合

> 　免税事業者になることとなった場合において、課税事業者であった課税期間の末日に有する棚卸資産のうち、その課税期間中に仕入れたもの（※1）については、その課税仕入れ等に係る消費税額（※2）を、その課税期間の**課税仕入れ等の税額**から控除する。

※1　**適用対象資産**

　前期以前のものは関係なく、当課税期間中に仕入れた棚卸資産のうち、当課税期間の末日において有するもの（期末棚卸資産）につき処理を行う。

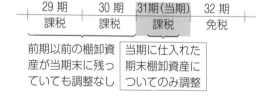

| 29 期 | 30 期 | 31期(当期) | 32 期 |
|---|---|---|---|
| 課税 | 課税 | 課税 | 免税 |

| 前期以前の棚卸資産が当期末に残っていても調整なし | 当期に仕入れた期末棚卸資産についてのみ調整 |
|---|---|

### 〔3〕事業承継した場合

#### (1)　相　続

　課税事業者である個人事業者が相続により免税事業者であった被相続人の事業を承継した場合において、その被相続人が免税事業者であった期間中に仕入れた棚卸資産を引き継いだときは、その棚卸資産に係る税額を、その引継ぎを受けた個人事業者のその相続があった日の属する課税期間の「課税仕入れ等の税額」に加算する。この場合にも書類の保存要件がある。

## (2) 合併又は分割

合併又は分割の場合も相続と同様の処理を行う。

（注）軽減税率の対象となる取引については6.24％が適用される点に留意する。

## ■設 例

次の〔資料〕に基づいて、当期（令和7年4月1日から令和8年3月31日まで）の控除対象仕入税額を個別対応方式及び一括比例配分方式により計算しなさい。

なお、計算は割戻し計算により行うこととする。

〔資 料〕

1　売上原価の内訳は、次のとおりである。

| | | |
|---|---:|---:|
| 期首商品棚卸高 | 165,000円 | |
| 当期商品仕入高 | 4,725,000円 | |
| 合　　計 | 4,890,000円 | |
| 期末商品棚卸高 | 202,500円 | 4,687,500円 |

（注1）期首商品棚卸高はすべて前期において国内で仕入れたものである。

（注2）当期商品仕入高はすべて当期において国内で仕入れたものである。

（注3）期末商品棚卸高はすべて当期において国内で仕入れたものである。

2　その他の事項

(1)　売上原価以外の費用のうち、課税仕入れに該当する金額は1,653,750円であり、その区分経理は次のとおりである。

① 課税資産の譲渡等にのみ要するもの　　578,800円

② その他の資産の譲渡等にのみ要するもの　82,700円

③ 課税資産の譲渡等とその他の資産の譲渡等に共通して要するもの　　　　　　　　　　　　　　992,250円

(2)　当期の課税売上割合は80％である。

(3)　前期は、免税事業者に該当している。

(4)　当期及び翌期は、課税事業者に該当している。

(5)　当社は税込経理方式を採用している。

(6)　当社の事業年度は、毎年4月1日から翌年3月31日までである。

## ■ 解 説

**(1) 課税仕入れ等の区分**

① 課税資産の譲渡等にのみ要するもの

イ 課税仕入れ

4,725,000円 + 578,800円 = 5,303,800円

$$5,303,800円 \times \frac{7.8}{110} = 376,087円$$

ロ 期首棚卸資産の調整

$$165,000円 \times \frac{7.8}{110} = 11,700円$$

② その他の資産の譲渡等にのみ要するもの

$$82,700円 \times \frac{7.8}{110} = 5,864円$$

③ 共通して要するもの

$$992,250円 \times \frac{7.8}{110} = 70,359円$$

④ 合 計

イ 課税仕入れ

5,303,800円 + 82,700円 + 992,250円 = 6,378,750円

$$6,378,750円 \times \frac{7.8}{110} = 452,311円$$

ロ 期首棚卸資産の調整 11,700円

**(2) 個別対応方式**

(376,087円 + 11,700円) + 70,359円 × 80% = 444,074円

**(3) 一括比例配分方式**

(452,311円 + 11,700円) × 80% = 371,208円

**(4) 判 定**

(2) > (3) ∴ 444,074円

# 31 特定収入に係る仕入税額の特例

重要度C
★

●学習のポイント●

「特定収入に係る仕入税額の特例」を理解する。

## ■ ポイント整理

普通法人が行う課税仕入れについては、その金銭の源泉は問わない。しかし、公共法人等については、特定収入(対価性のない収入)が普通法人に比べて多額になることが多い。この場合、原則的な仕入税額控除の計算では不合理が生じるため、「公共法人等が特定収入を原資として行った課税仕入れ等の税額については税額控除できない」という特例を設けている。

### 〔1〕特定収入

特定収入とは、資産の譲渡等の対価に該当しない一定の収入をいう。また、文書において「課税仕入れに係る支出」又は「課税貨物の引取りに係る支出」のみに充てることとして、その使途を明らかにしている特定収入を「課税仕入れ等に係る特定収入」といい、その使途が特定されているもの以外の特定収入を「その他の特定収入」という。

### 【特定収入の分類】

※ 非特定収入は計算では一切使用しない。

## 〔2〕 特定収入に係る仕入税額の特例

### (1) 全額控除の場合

(1) 調整前の仕入控除税額

$$\text{課税期間中の} \atop \text{税込課税仕入高} \times \frac{7.8}{110} + \text{特定課税仕入れに} \atop \text{係る支払対価の額} \times 7.8\% + \text{引取りに係る消費税額}$$

(2) 特定収入に係る調整税額

① $\text{課税仕入れ等に係る} \atop \text{特定収入の合計額} \times \frac{7.8}{110}$ （※1）

② ((1)−①) × 調整割合（※2）

③ ①+②

(3) 控除対象仕入税額

(1)−(2)（※3）

※1　軽減対象の課税仕入れ等に係る特定収入の場合は $\times \dfrac{6.24}{108}$

※2　調整割合 $= \dfrac{\text{その他の特定収入の合計額}}{\text{資産の譲渡等の} \atop \text{対価の額（*）} + \text{その他の特定収入} \atop \text{の　合　計　額}}$

**＊　資産の譲渡等の対価の額**

$= \text{税抜の} \atop \text{課税売上高} + \text{免税} \atop \text{売上高} + \text{非課税} \atop \text{売上高} + \text{国外} \atop \text{売上高}$

（注）基本的には課税売上割合の分母と似ているが、以下の点に注意する。

イ　売上げに係る対価の返還等は控除しない

ロ　株式等・一定の金銭債権（売掛金等を除く。）の譲渡対価に5％を乗じない

ハ　国外売上高を含める

※3　**控除しきれない場合**

特定収入に係る調整税額を、調整前の仕入控除税額から控除して控除しきれない金額は、「課税資産の譲渡等に係る消費税額」とみなして、その課税期間の課税標準額に対する消費税額に加算する。

(2) **個別対応方式の場合**

(1) 調整前の仕入控除税額
  ① 課税仕入れ等の区分
  ② 個別対応方式
    A対応の税額 ＋ C対応の税額 × 課税売上割合

(2) 特定収入に係る調整税額
  ① 課税売上げにのみ要する課税仕入れ等に係る特定収入の合計額 $\times \dfrac{7.8}{110}$（※1）
  ② 課税、非課税共通用の課税仕入れ等に係る特定収入の合計額 $\times \dfrac{7.8}{110}$（※1）$\times$ 課税売上割合
  ③ ｛(1)－（①＋②）｝×調整割合（※2）
  ④ ①＋②＋③

(3) 控除対象仕入税額
    (1)－(2)（※3）

(3) **一括比例配分方式の場合**

(1) 調整前の仕入控除税額
    課税仕入れ等の税額の合計額 × 課税売上割合

(2) 特定収入に係る調整税額
  ① 課税仕入れ等に係る特定収入の合計額 $\times \dfrac{7.8}{110}$（※1）$\times$ 課税売上割合
  ② ((1)－①) × 調整割合（※2）
  ③ ①＋②

(3) 控除対象仕入税額
    (1)－(2)（※3）

## 〔3〕適用要件

次の要件を満たす場合には、上記の特例を適用して、控除対象仕入税額の計算を行う。

> (1) 国、地方公共団体の特別会計<br>　　別表第三に掲げる法人<br>　　人格のない社団等　　　　　　} が課税仕入れ等を行っている。
>
> (2) その課税仕入れ等の課税期間に、特定収入がある。
>
> (3) 特定収入割合（※）が5％超である。

※ 特定収入割合 = $\dfrac{\text{特定収入の合計額}}{\text{資産の譲渡等の対価の額（＊）} + \text{特定収入の合計額}}$

**＊ 資産の譲渡等の対価の額**

…調整割合の計算（P.153）における「資産の譲渡等の対価の額」と同じ金額である。

## ■ 設　例

次の〔資料〕から、甲法人（別表第三に掲げる法人）の当期（令和7年4月1日から令和8年3月31日まで）の控除対象仕入税額を個別対応方式及び一括比例配分方式により求めなさい。

なお、甲法人は税込経理方式を採用している。

また、計算は割戻し計算により行うこととする。

〔資　料〕
(1) 課税売上割合　　　　　　　　　　90％
(2) 課税仕入れ等に関する資料
　① 課税資産の譲渡等にのみ要するもの　　55,000,000円
　　上記金額には、国庫補助金により取得した課税資産Aに係るもの15,552,000円が含まれている。
　② その他の資産の譲渡等にのみ要するもの　　8,800,000円
　③ 課税資産の譲渡等とその他の資産の譲渡等に共通して要するもの　　　　　　　　　　　　　　　　13,200,000円
　　上記金額には、国庫補助金により取得した課税資産Bに係るもの10,080,000円が含まれている。
(3) 特定収入に関する資料
　① 国庫補助金（使途が課税仕入れ等に特定）　22,000,000円
　② 寄附金の合計（使途は特定されていない。）　10,000,000円
　③ 特定収入割合　　10％
　④ 調整割合　　　　3％

なお、上記①の国庫補助金は課税資産Ａに12,100,000円、課税資産Ｂに9,900,000円利用されており、残額は自己資金を充当している。

## ■ 解 説

(1) 特定収入割合　10％ ＞ 5 ％　　∴　適用あり

(2) 調整割合　　　3 ％

(3) 課税仕入れ等の区分

① 課税資産の譲渡等にのみ要するもの

$$55,000,000円 \times \frac{7.8}{110} = 3,900,000円$$

② その他の資産の譲渡等にのみ要するもの

$$8,800,000円 \times \frac{7.8}{110} = 624,000円$$

③ 共通して要するもの

$$13,200,000円 \times \frac{7.8}{110} = 936,000円$$

④ 合 計

$$55,000,000円 + 8,800,000円 + 13,200,000円 = 77,000,000円$$

$$77,000,000円 \times \frac{7.8}{110} = 5,460,000円$$

(4) 個別対応方式

① 調整前の控除税額

3,900,000円 + 936,000円 × 90％ = 4,742,400円

② 特定収入に係る調整税額

イ　$12,100,000円 \times \frac{7.8}{110} = 858,000円$

ロ　$9,900,000円 \times \frac{7.8}{110} \times 90％ = 631,800円$

ハ　｛4,742,400円 － （イ ＋ ロ）｝ × 3 ％ = 97,578円

ニ　イ ＋ ロ ＋ ハ = 1,587,378円

③ ① － ② = 3,155,022円

(5) 一括比例配分方式

① 調整前の控除税額

5,460,000円 × 90％ = 4,914,000円

② 特定収入に係る調整税額

イ　$22,000,000円 \times \frac{7.8}{110} \times 90％ = 1,404,000円$

ロ　（4,914,000円 － イ） × 3 ％ = 105,300円

ハ　イ + ロ = 1,509,300円
　③　①－② = 3,404,700円
(6)　判　定
　　(4) ＜ (5)　　∴　3,404,700円

31

特定収入に係る仕入税額の特例

157

## 32　簡易課税制度

●学習のポイント●

1．「課税売上げの業種区分」及び「みなし仕入率の計算」ができるようになる。
2．「簡易課税制度」の適用要件を覚える。

## ポイント整理

原則的な仕入税額控除の手続は煩雑であることから、一定規模以下の中小事業者に対しては、課税標準額に対する消費税額のみから納付税額を計算できる簡易な方法を選択・採用することを認めている。

### 〔1〕簡易課税制度を適用した場合の控除対象仕入税額の計算式

控除対象仕入税額＝

$$\left(\begin{array}{c}課税標準額\\に対する\\消費税額\end{array} + \begin{array}{c}貸倒回収\\に係る\\消費税額\end{array} - \begin{array}{c}売上げに係る対価\\の返還等に係る\\消費税額の合計額\end{array}\right) × \begin{array}{c}みなし\\仕入率\end{array}$$

基礎となる消費税額（残額）

(注)　1　免税売上高は、税額が含まれていないため、考慮しない。
　　　2　残額は、マイナスのときは「0円」となる。

### 〔2〕みなし仕入率

#### (1)　各業種ごとのみなし仕入率

みなし仕入率は、次表のように、6つの業種ごとに定められている。

| 区　分 | 業　種 | みなし仕入率 |
|---|---|---|
| 第一種事業 | 卸　売　業 | 90% |
| 第二種事業 | 小　売　業 | 80% |
| 第三種事業 | 製 造 業 等 | 70% |
| 第四種事業 | そ　の　他 | 60% |
| 第五種事業 | サービス業等 | 50% |
| 第六種事業 | 不 動 産 業 | 40% |

① **第一種事業（卸売業）とは**

他の者から購入した商品をその性質及び形状を変更しないで他の事業者に対して販売する事業をいう。

② **第二種事業（小売業）とは**

イ　他の者から購入した商品をその性質及び形状を変更しないで販売する事業で、第一種事業以外のものをいい、具体的には、消費者に対して商品を販売する場合をいう。

ロ　自動販売機により仕入商品等を販売した場合には、事業者以外の者に対する販売に該当することから、第二種事業に該当する。

ハ　農業、林業、漁業（飲食料品の譲渡を行う部分）

③ **第三種事業（製造業等）とは**

イ　次に掲げる事業をいう。

　(イ)　農業、林業、漁業（飲食料品の譲渡を行う部分以外）

　(ロ)　鉱業　(ハ)　建設業

　(ニ)　製造業（製造した棚卸資産を小売する事業を含む。）

　(ホ)　電気業、ガス業、熱供給業及び水道業

ロ　天然水を採取して瓶詰等して販売する事業、及び新聞、書籍等の発行、出版事業は第三種事業に該当する。

ハ　加工賃その他これに類する料金を対価とする役務の提供を行う事業（いわゆる下請け業）は除かれ、第四種事業となる。

④ **第四種事業（その他）とは**

第一種事業、第二種事業、第三種事業、第五種事業及び第六種事業以外の事業をいい、具体的には次の事業が該当する。

イ　飲食店業

ロ　事業用固定資産等の売却

⑤ **第五種事業（サービス業等）とは**

次に掲げる事業をいう。

イ　運輸通信業

ロ　金融保険業

ハ　サービス業（飲食店業に該当するものを除く。）

⑥ **第六種事業（不動産業）とは**

不動産業（賃貸・管理・仲介）

## (2) 2業種以上の事業を行う場合のみなし仕入率

事業者が1業種のみしか行わない場合のみなし仕入率については、前述したそれぞれのみなし仕入率を適用することとなるが、事業者が2業種以上の事業を行っている場合のみなし仕入率は次の方法により計算することとなる。

---
**みなし仕入率の計算方法**
① 原　則
② 特　例
　　イ　特定一事業の課税売上高が全体の75%以上の場合
　　ロ　特定二事業の課税売上高の合計が全体の75%以上の場合
　　ハ　事業区分がされていない場合
---

### ① 原　則

2業種以上の事業を行っている場合のみなし仕入率は、次の算式により計算する。

$$\text{みなし仕入率} = \frac{B1 \times 90\% + B2 \times 80\% + B3 \times 70\% + B4 \times 60\% + B5 \times 50\% + B6 \times 40\%}{B}$$

B1…第一種事業の売上げに係る消費税額（※1）（※2）
B2…第二種事業の売上げに係る消費税額（※1）（※2）
B3…第三種事業の売上げに係る消費税額（※1）（※2）
B4…第四種事業の売上げに係る消費税額（※1）（※2）
B5…第五種事業の売上げに係る消費税額（※1）（※2）
B6…第六種事業の売上げに係る消費税額（※1）（※2）
B……B1＋B2＋B3＋B4＋B5＋B6（※2）

※1　各業種の「売上げに係る消費税額」

$$= \text{各業種の税込売上高} \times \frac{7.8}{110} - \text{各業種の売上げに係る対価の返還等} \times \frac{7.8}{110}$$

※2　貸倒回収に係る消費税額は、ここでは考慮しない。

（注）軽減税率の対象となる取引については6.24%が適用される点に留意する。

② 特 例

**イ　特定一事業の課税売上高が全体の75%以上の場合**

　　「全課税売上高の合計」のうちに「特定の一事業の課税
売上高」の占める割合が75%以上である場合には、その特
定の一事業に係るみなし仕入率を、全体のみなし仕入率と
して適用することができる。

> みなし仕入率 ＝ その75%以上の業種のみなし仕入率

**ロ　特定二事業の課税売上高の合計が全体の75%以上の場合**

　　「全課税売上高の合計」のうちに「特定の二事業の課税
売上高の合計」の占める割合が75%以上である場合は、そ
の特定の二事業に係るみなし仕入率のうち低い方のみなし
仕入率をその二事業以外の事業に適用して原則に準じて計
算した割合を、みなし仕入率として適用することができる。

> みなし仕入率 ＝
>
> $$\frac{\text{二事業のうちみなし} \atop \text{仕入率が大きい売上} \atop \text{げに係る消費税(※)} \times \text{みなし} \atop \text{仕入率} + (B - ※) \times \text{二事業のう} \atop \text{ち低いみな} \atop \text{し仕入率}}{B}$$

**ハ　事業区分がされていない場合**

　　事業の種類ごとの区分をしていない課税売上げがある場
合には、その事業者が行っている事業のうち「最も低いみ
なし仕入率」を適用する。

●簡易課税の計算パターン

【控除対象仕入税額】

(1) 課税売上高

① 第一種（A1）

　イ　課税売上高 × $\dfrac{100}{110}$

　　※　積上げ計算の場合

　　　課税売上高 － 適格請求書等に記載
　　　　　　　　　　 した消費税額等

　ロ　売上げに係る
　　　対価の返還等 × $\dfrac{100}{110}$

　ハ　イ－ロ ＝ 第一種事業に係る課税売上高

　　　　　　　　（以下、各業種同様に計算）

② 第二種（A2）

③ 第三種（A3）

④ 第四種（A4）

⑤ 第五種（A5）

⑥ 第六種（A6）

⑦ 合　計（A）

　①＋②＋③＋④＋⑤＋⑥＝課税売上高

(2) 消費税額

① 第一種（B1）

　イ　課税売上高 × $\dfrac{7.8}{110}$

　　※　積上げ計算の場合
　　　適格請求書等に記載した
　　　消費税額等の合計額 × 78%

　ロ　売上げに係る対価の返還等 × $\dfrac{7.8}{110}$

　ハ　イ－ロ ＝ 第一種事業に係る消費税額

　　　　　　　　（以下、各業種同様に計算）

② 第二種（B2）

③ 第三種（B3）

④ 第四種（B4）

⑤ 第五種（B5）

⑥ 第六種（B6）

⑦ 合　計（B）

①＋②＋③＋④＋⑤＋⑥＝売上げに係る消費税額

(3) 基礎税額

課税標準額に対する消費税額＋貸倒回収に係る消費
税額−売上げに係る対価の返還等に係る消費税額
＝×××（残額）

(4) 仕入税額

① 原　則

(3) × 原則によるみなし仕入率 ＝ ×××

② 特　例

（例）イ 特定1事業（第三種）

$$\frac{A3}{A} ≧ 75\% \quad ∴ \quad 適用あり$$

(3)×みなし仕入率（70%） ＝ ×××

ロ 特定2事業

(ｲ) 第一種と第三種

$$\frac{A1＋A3}{A} ≧ 75\% \quad ∴ \quad 適用あり$$

$$(3)× \frac{B1×90\%＋(B−B1)×70\%}{B} ＝×××$$

(ﾛ) 第二種と第三種

$$\frac{A2＋A3}{A} ≧ 75\% \quad ∴ \quad 適用あり$$

$$(3)× \frac{B2×80\%＋(B−B2)×70\%}{B} ＝×××$$

（注）その他の特例は明らかに不利であるため判定省
略

(5) 判　定

(4)の税額のうち最も有利なもの（大きいもの）を選択

（注）軽減税率の対象となる取引については6.24％が適用され
る点に留意する。

〔3〕適用要件

簡易課税制度は、原則として次の2つの要件をいずれも満た
した場合に適用される。

---

(1) 前課税期間末までに「消費税簡易課税制度選択届出書」
の提出あり
(2) 基準期間における課税売上高 ≦ 5,000万円

---

※ 令和6年10月1日以後に開始する課税期間から、その課税
期間の初日において恒久的施設を有しない国外事業者は、簡
易課税制度の適用を受けられないこととされている。

#### (1) 消費税簡易課税制度選択届出書

消費税簡易課税制度選択届出書をその納税地の所轄税務
署長に提出した場合には、その「提出日の属する課税期間」
の「翌課税期間（※1）以後の課税期間」からその効力が
発生する。

※1 「提出日の属する課税期間」が、次の課税期間の場合に
は、翌課税期間からではなく、その提出をした課税期間か
ら簡易課税制度が適用される。

| | |
|---|---|
| 事業開始等 | 事業者が事業を開始した日の属する課税期間<br>（例）開業1年目、設立第1期 |
| | 事業者が国内において課税資産の譲渡等に係る事業を開始した日の属する課税期間<br>（例）社会福祉法人、外国法人 |
| 相 続 | 相続により「簡易課税の選択をしていた被相続人の事業」を承継した場合の、その相続があった日の属する課税期間（※2） |
| 吸 収 合 併 | 吸収合併により「簡易課税の選択をしていた被合併法人の事業」を承継した場合の、その吸収合併があった日の属する課税期間（※2） |
| 吸 収 分 割 | 吸収分割により「簡易課税の選択をしていた分割法人の事業」を承継した場合の、その吸収分割があった日の属する課税期間（※2） |

※2 相続、吸収合併、吸収分割があった場合の納税義務の免
除の特例の規定により、免税事業者が課税事業者になるこ
ととなる課税期間に限る。

(2)　**消費税簡易課税制度選択不適用届出書**

> 「簡易課税の適用を受けることをやめようとするとき」、
> 又は「事業を廃止したとき」は、「**消費税簡易課税制度選
> 択不適用届出書**」をその納税地の所轄税務署長に提出しな
> ければならない。

① **不適用届出書の提出制限**

　　適用をやめようとする場合には、選択届出書を提出した課
税期間の「翌課税期間」（選択届出書の効力が生じた初めて
の課税期間）の初日から**2年を経過する日**の属する課税期間
の初日以後でなければ、不適用届出書を提出することはでき
ない。（＝2年継続適用）

② **不適用となる期日**

　　不適用届出書の提出があった日の属する課税期間の末日の
翌日以後は、簡易課税の選択の効力はなくなる。

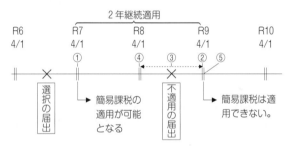

選択届出書を提出した課税期間の　翌課税期間の初日から　2年を経過する日の
　　　　　　　　　　　　　　　　　①(R7.4.1)　　　　②(R9.3.31)
属する課税期間の　初日以後　でなければ、不適用届出書を提出することはできない。
③(R8.4.1〜R9.3.31)④(R8.4.1〜)
　不適用届出書の提出日の属する課税期間の末日の翌日以降は、簡易課税の選択届
　　　　　　　　　　⑤(R9.4.1〜)
出書の効力は失われる。

(3)　**宥恕規定**

　　やむを得ない事情があるため、**その課税期間の初日の前日**ま
でに届出書を提出できなかった場合には宥恕規定がある。

　　この宥恕規定の適用を受けようとする場合には、「消費税簡
易課税制度選択（不適用）届出に係る特例承認申請書」を提出
しなければならない。

**【税額控除の計算の流れ】**

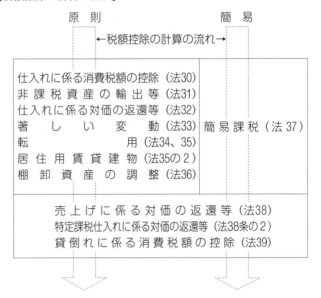

原　則　　　　　　　　簡　易

←税額控除の計算の流れ→

| 仕入れに係る消費税額の控除（法30）<br>非 課 税 資 産 の 輸 出 等（法31）<br>仕入れに係る対価の返還等（法32）<br>著　し　い　変　動（法33）<br>転　　　　　用（法34、35）<br>居 住 用 賃 貸 建 物（法35の2）<br>棚 卸 資 産 の 調 整（法36） | 簡 易 課 税（法37） |
|---|---|
| 売 上 げ に 係 る 対 価 の 返 還 等（法38）<br>特定課税仕入れに係る対価の返還等（法38条の2）<br>貸 倒 れ に 係 る 消 費 税 額 の 控 除（法39） | |

### 〔4〕 調整対象固定資産の仕入れ等を行った場合

#### (1)　調整対象固定資産を取得した場合

　　簡易課税の適用を受けようとする事業者は、課税事業者の選択不適用もしくは新設法人又は特定新規設立法人の特例に係る調整対象固定資産の仕入れ等を行った場合に該当するときは、その仕入れ等の属する課税期間の初日から3年を経過する日の属する課税期間の初日の前日までの期間は、簡易課税制度選択届出書を提出することができない。

#### (2)　高額特定資産を取得した場合

　　簡易課税の適用を受けようとする事業者が、高額特定資産の仕入れ等（※）を行った場合には、その仕入れ等の日の属する課税期間の初日からその初日以後3年を経過する日の属する課税期間の初日の前日までの期間は、簡易課税制度選択届出書を提出することができない。

　　※　一定の金地金等の仕入れ等を行った場合も、同様の取扱いとなる。

(3) **棚卸資産の調整の適用を受けた場合**

　　簡易課税の適用を受けようとする事業者が、高額特定資産である棚卸資産等について棚卸資産の調整の適用を受けた場合には、その適用を受けた課税期間の初日からその初日以後 3 年を経過する日の属する課税期間の初日の前日までの期間は、簡易課税制度選択届出書を提出することができない。

〔5〕**適用除外**

　　〔4〕の規定は、事業を開始した日の属する課税期間その他の一定の課税期間から簡易課税の適用を受けようとする場合には、適用しない。

〔6〕**提出がなかったものとみなす場合**

　　〔4〕の場合において、その仕入れ等の日（注）の属する課税期間の初日からその仕入れ等の日（注）までの間に簡易課税制度選択届出書を納税地の所轄税務署長に提出しているときは、その提出は、なかったものとみなす。

　　（注）上記〔4〕(3)の場合は、調整適用日

〔7〕**災害等があった場合の簡易課税制度の届出に関する特例**

　　簡易課税制度選択届出書又は簡易課税制度選択不適用届出書の提出の効力は、原則として提出の翌課税期間からとされている。

　　しかし、災害等により被害を受けた事業者が、簡易課税制度につき、適用すること又は不適用とすることが必要となった場合において、納税地の所轄税務署長の承認を受けたときは、原則として災害等が生じた課税期間から簡易課税制度の適用又は不適用を選択することができる。

　　なお、この場合においては、調整対象固定資産の仕入れ等を行った場合又は不適用の届出の提出制限（ 2 年継続適用）の適用はない。

(1) **災害等による消費税簡易課税制度選択届出に係る特例承認申請書**
① **内 容**

> 災害その他やむを得ない理由が生じたことにより被害を受けた事業者（免税事業者及び簡易課税制度の適用を受ける事業者を除く。）が、その被害を受けたことにより、その理由の生じた日の属する課税期間（※1）に簡易課税の適用を受けることが必要となった場合において、その選択被災課税期間につき納税地の**所轄税務署長の承認**を受けたときは、簡易課税制度選択届出書を**承認を受けた選択被災課税期間の初日の前日にその税務署長に提出**したものとみなす。この場合においては、〔4〕の規定は適用しない。

※1　基準期間における課税売上高が5,000万円を超える課税期間及び分割等に係る課税期間を除く。以下「選択被災課税期間」という。

② **申請書の提出**

> ①の承認を受けようとする事業者は、一定の申請書を、その理由のやんだ日から**2月以内**（そのやんだ日がその申請に係る選択被災課税期間の末日の翌日以後に到来する場合には、確定申告書の提出期限まで）に、納税地の所轄税務署長に提出しなければならない。

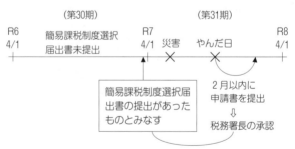

第31期（選択被災課税期間）から簡易課税制度を選択することができる

(2) **災害等による消費税簡易課税制度選択不適用届出に係る特例承認申請書**

① **内　容**

> 　災害その他やむを得ない理由が生じたことにより被害を受けた事業者（簡易課税の適用を受ける事業者に限る。）が、その被害を受けたことにより、その**理由の生じた日の属する課税期間**（※2）につき簡易課税の適用を受けることの必要がなくなった場合において、その不適用被災課税期間につき納税地の**所轄税務署長の承認**を受けたときは、簡易課税制度選択不適用届出書をその**承認を受けた不適用被災課税期間の初日の前日に税務署長に提出したもの**とみなす。
>
> 　この場合、簡易課税制度選択不適用届出書の提出の制限は、適用しない。

※2　その課税期間の翌課税期間以後の課税期間のうち一定の課税期間を含む。以下(2)において「不適用被災課税期間」という。

② **申請書の提出**

　(1)の災害等による消費税簡易課税制度選択届出に係る特例承認申請書と同じ。

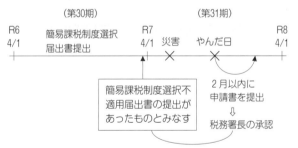

第31期（不適用被災課税期間）から簡易課税制度をやめることができる

### ③ 一定の課税期間

　一定の課税期間とは、次の要件のすべてに該当する課税期間のうちいずれか一の課税期間とする。
イ　①に規定する災害その他やむを得ない理由の生じた日からその理由のやんだ日までの間に開始した課税期間であること。
ロ　イの理由の生じた日の属する課税期間（①の承認を受けた課税期間に限る。）の翌課税期間以後の課税期間でないこと。
ハ　簡易課税制度選択届出の効力が生じた課税期間の初日から2年を経過する日までの間に開始した課税期間であること。

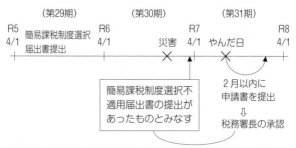

第31期（不適用被災課税期間）から簡易課税制度をやめることができる

## ■ 設 例

次の〔資料〕から、割戻し計算により、日用品（課税商品）の卸小売業を営む甲社の当期（令和7年4月1日から令和8年3月31日まで）の納付すべき消費税額を求めなさい。

(注)　1　会計帳簿における経理は、すべて消費税込みの金額により処理している。

　　　2　特段、断りのないものは、国内取引に係るものである。

　　　3　甲社は設立以来当期まで、免税事業者に該当したことはなく、高額特定資産の仕入れ等は行っていない。

　　　4　甲社の当期に係る基準期間における課税売上高は40,000,000円である。なお、甲社は前々々期において消費税法第37条第1項《中小事業者の仕入れに係る消費税額の控除の特例》の規定の適用を受けるための届出書を納税地の所轄税務署長に提出している。

〔資　料〕

| | |
|---|---|
| 1　商品総売上高 | 48,875,000円 |

　　上記金額の内訳は、次のとおりである。

| | |
|---|---|
| ⑴　国内の事業者に対するもの | 20,212,500円 |
| ⑵　国内の消費者に対するもの | 8,662,500円 |
| ⑶　輸出免税の対象となるもの | 20,000,000円 |
| 2　受取利息 | 210,000円 |
| 3　固定資産売却益 | 1,500,000円 |

　　土地付建物（帳簿価額24,625,000円）を26,125,000円で売却したことにより計上したものである。なお、建物と土地の時価の比は2対8である。

| | |
|---|---|
| 4　償却債権取立益 | 172,800円 |

　　前期に貸倒処理した売掛金（令和元年11月の国内の事業者に対する商品販売に係るもの）が当期に回収されたことに伴い計上したものである。

| | |
|---|---|
| 5　売上値引 | 417,085円 |

　　上記金額は、国内の事業者に対し行ったものであり、すべて当期の商品販売に係るものである。

| | |
|---|---|
| 6　貸倒損失 | 298,500円 |

　　上記金額は、当期の商品販売に係る売掛金が貸し倒れたものであり、その内訳は次のとおりである。

| | |
|---|---|
| ⑴　国内の事業者に対するもの | 178,500円 |
| ⑵　輸出免税の対象となるもの | 120,000円 |

## ■ 解　説

### 1　簡易課税適用の有無の判定
40,000,000円 ≦ 50,000,000円

前期末までに届出書の提出あり　∴　簡易課税の適用あり

### 2　課税標準額
(1)　第一種　20,212,500円

(2)　第二種　　8,662,500円

(3)　第四種　$26,125,000円 \times \dfrac{2}{8 + 2} = 5,225,000円$

(4)　合　計　(1)+(2)+(3)＝34,100,000円

$34,100,000円 \times \dfrac{100}{110} = 31,000,000円$（千円未満切捨）

### 3　課税標準額に対する消費税額
$31,000,000円 \times 7.8\% = 2,418,000円$

### 4　貸倒回収に係る消費税額
$172,800円 \times \dfrac{7.8}{110} = 12,253円$

### 5　売上げに係る対価の返還等に係る消費税額
第一種　$417,085円 \times \dfrac{7.8}{110} = 29,575円$

### 6　貸倒れに係る消費税額
$178,500円 \times \dfrac{7.8}{110} = 12,657円$

### 7　控除対象仕入税額
(1)　課税売上高

①　第一種

$20,212,500円 \times \dfrac{100}{110} - 417,085円 \times \dfrac{100}{110}$

$= 17,995,832円$

②　第二種

$8,662,500円 \times \dfrac{100}{110} = 7,875,000円$

③　第四種

$5,225,000円 \times \dfrac{100}{110} = 4,750,000円$

④　合　計

①＋②＋③＝30,620,832円

(2) 消費税額
   ① 第一種

$$20,212,500円 \times \frac{7.8}{110} - 417,085円 \times \frac{7.8}{110} = 1,403,675円$$

   ② 第二種

$$8,662,500円 \times \frac{7.8}{110} = 614,250円$$

   ③ 第四種

$$5,225,000円 \times \frac{7.8}{110} = 370,500円$$

   ④ 合 計

     ① + ② + ③ = 2,388,425円

(3) 基礎税額

  2,418,000円 + 12,253円 - 29,575円 = 2,400,678円

(4) 仕入税額
   ① 原 則

$$2,400,678円 \times \frac{1,977,007円\ ※}{2,388,425円} = 1,987,149円$$

   ※ 1,403,675円 × 90% + 614,250円 × 80% + 370,500円 × 60%
     = 1,977,007円

   ② 特 例
    イ 特定一事業（第一種）

$$\frac{17,995,832円}{30,620,832円} = 0.5876\cdots \ < \ 75\% \quad \therefore \quad 適用なし$$

    ロ 特定二事業（第一種と第二種）

$$\frac{17,995,832円 + 7,875,000円}{30,620,832円} = 0.8448\cdots \ \geqq \ 75\%$$

$$\therefore \quad 適用あり$$

$$2,400,678円 \times \frac{2,051,107円\ ※}{2,388,425円} = 2,061,629円$$

   ※ 1,403,675円 × 90% + (2,388,425円 - 1,403,675円) × 80%
     = 2,051,107円

   （注）その他の特例は明らかに不利であるため、判定省略

(5) 判 定

  2,061,629円 ＞ 1,987,149円    ∴   2,061,629円

## 8 差引税額

2,418,000円 + 12,253円 - (2,061,629円 + 29,575円 + 12,657円)
= 326,392円 → 326,300円（百円未満切捨）

## 9 納付税額

326,300円

# 33 確定申告制度

重要度C
★

●学習のポイント●

確定申告書の提出義務者及び提出期限を覚え、納付・還付のし
くみを理解する。

## ■ ポイント整理

国内取引の納税義務者は、一課税期間に係る納付税額を計算
し、確定申告すると共に、その税額を納付しなければならない。

〔1〕確定申告書の提出義務者

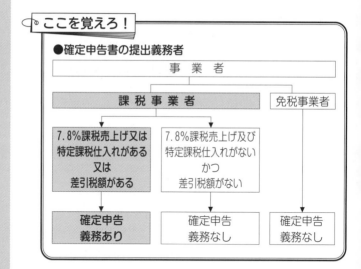

ここを覚えろ！

●確定申告書の提出義務者

| 事 業 者 | | |
|---|---|---|
| 課 税 事 業 者 | | 免税事業者 |
| 7.8%課税売上げ又は<br>特定課税仕入れがある<br>又は<br>差引税額がある | 7.8%課税売上げ及び<br>特定課税仕入れがない<br>かつ<br>差引税額がない | |
| 確定申告<br>義務あり | 確定申告<br>義務なし | 確定申告<br>義務なし |

## 〔2〕確定申告書の提出期限

|  |  | 提 出 期 限 |
|---|---|---|
| 原　　則 |  | その課税期間の末日の翌日から 2 月以内 |
| 特例 | 個人事業者の12月31日の属する課税期間 | その年の翌年 3 月31日まで |
|  | 申告書を提出すべき個人事業者が提出しないで死亡した場合 | その相続の開始があったことを知った日の翌日から 4 月以内 |
|  | 個人事業者が課税期間の中途に死亡した場合 | その相続の開始があったことを知った日の翌日から 4 月以内 |
|  | 清算中の法人につき残余財産が確定した場合 | 1 月以内（1 月以内に残余財産の最後の分配等が行われる場合にはその行われる日の前日まで） |

## 〔3〕添付書類

　　資産の譲渡等の対価の額、課税仕入れ等の税額の明細等を記載した書類を添付しなければならない。

## 〔4〕確定申告による納付又は還付

### (1)　納　付

　　確定申告書を提出した者は、その申告書に記載した納付税額をその申告書の提出期限までに国に納付しなければならない。

### (2)　還　付

#### ①　控除不足還付税額

　　確定申告書に控除不足還付税額の記載がある場合には、税務署長はその不足額を還付する。

#### ②　中間納付還付税額

　　確定申告書に中間納付還付税額の記載がある場合には、税務署長はその不足額を還付する。

### 〔5〕法人の確定申告書の提出期限の特例

　　「法人税の申告期限の延長の特例」の適用を受ける法人が、「消
費税申告期限延長届出書」を提出した場合には、その提出日の
属する事業年度以後の各事業年度終了の日の属する課税期間に
係る消費税の確定申告期限は1月延長される。

### 〔6〕大法人の電子申告の義務化

　　事業年度開始の時における資本金の額等が1億円を超える法
人等の確定申告は、電子申告により行わなければならない。

# 34 還付を受けるための申告制度

重要度C
★

● 学習のポイント ●

還付を受けるための申告書は、どのような事業者が提出できるのかを知る。

## ■ ポイント整理

確定申告書の提出義務がない課税事業者であっても、税額計算の結果、消費税の還付を受けられるような場合には、その還付を受けるために還付を受けるための申告書を提出することができる。

〔1〕還付を受けるための申告書を提出できる者

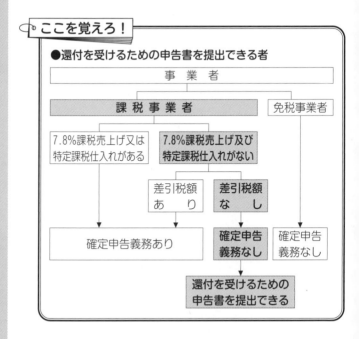

ここを覚えろ！

●還付を受けるための申告書を提出できる者

事業者

課税事業者 / 免税事業者

7.8%課税売上げ又は特定課税仕入れがある / 7.8%課税売上げ及び特定課税仕入れがない

差引税額あり / 差引税額なし

確定申告義務あり / 確定申告義務なし / 確定申告義務なし

還付を受けるための申告書を提出できる

〔2〕添付書類

　　資産の譲渡等の対価の額、課税仕入れ等の税額の明細等を記載した書類を添付しなければならない。

〔3〕還付申告による還付

(1)　**控除不足還付税額**

　　還付を受けるための申告書に控除不足還付税額の記載がある場合には、税務署長はその不足額を還付する。

(2)　**中間納付還付税額**

　　還付を受けるための申告書に中間納付還付税額の記載がある場合には、税務署長はその不足額を還付する。

# 35 中間申告制度

重要度A
★★★

●学習のポイント●

1．中間申告すべき回数と申告期限を覚える。
2．各中間申告における中間納付税額を求められるようにする。

## ■ ポイント整理

消費税は間接税であるため、消費者から預かった消費税額は、早期に国に納付されることが望ましい。

そのため、直前の課税期間の確定消費税額に応じて、課税期間の中途において中間申告の義務を負わせている。

### 〔1〕一月中間申告

直前の課税期間の確定消費税額の1月分が400万円超の場合には、1年を12期に分け、そのうち11回を「中間申告」として、最後の1回を「確定申告」として申告を行う。

#### (1) 中間申告有無の判定

$$\frac{直前の課税期間の確定消費税額（※1）}{直前の課税期間の月数} = Ⓐ > 4,000,000円$$

∴ 一月中間申告あり

※1 直前の課税期間の確定消費税額とは？

直前の課税期間に係る確定消費税額で確定日（※2）までに確定したものをいう。

※2 確定日とは？

確定日とは、次の区分に応じそれぞれの日をいう。

イ その課税期間開始の日から2月（※3）を経過した日の前日までの間に終了した一月中間申告対象期間

その課税期間開始の日から2月（※3）を経過した日の前日

ロ イ以外の一月中間申告対象期間

その一月中間申告対象期間の末日

※3 個人事業者については、3月

(2) **中間納付税額**

> Ⓐ （百円未満切捨）× 11回 ＝ ×××

(3) **申告期限**

> 一月中間申告対象期間の末日の翌日（※4、5）から2月以内

※4　一月中間申告対象期間がその課税期間開始の日以後1月の期間である場合には、その課税期間開始の日から2月を経過した日

※5　個人事業者については、一月中間申告対象期間がその課税期間開始の日から2月を経過した日の前日までの間に終了した一月中間申告対象期間である場合には、その課税期間開始の日から3月を経過した日

〔2〕**三月中間申告**

　　直前の課税期間の確定消費税額の3月分が100万円超1,200万円以下の場合には、1年を4期に分け、そのうち3回を「中間申告」として、最後の1回を「確定申告」として申告を行う。

(1) **中間申告有無の判定**

> $$\frac{直前の課税期間の確定消費税額（※）}{直前の課税期間の月数} × 3 ＝ Ⓑ ＞ 1,000,000円$$
> ∴　三月中間申告あり

※　直前の課税期間の確定消費税額とは？
　　直前の課税期間に係る確定消費税額で、その課税期間開始の日以後3月ごとに区分した各期間（＝三月中間申告対象期間）の末日までに確定した金額をいう。

(2) **中間納付税額**

> Ⓑ（百円未満切捨）× 3回 ＝ ×××

(3) **申告期限**

> 三月中間申告対象期間の末日の翌日から2月以内

〔3〕**六月中間申告**

直前の課税期間の確定消費税額の6月分が24万円超200万円以下の場合には、1年を2期に分け、そのうち1回を「中間申告」として、もう1回を「確定申告」として申告を行う。

(1) **中間申告有無の判定**

> $\dfrac{\text{直前の課税期間}}{\text{の確定消費税額}}^{（※）} \times 6 ＝ Ⓒ ＞ 240,000円$
>
> ∴ 六月中間申告あり

※ 直前の課税期間の確定消費税額とは？
直前の課税期間に係る確定消費税額で、その課税期間開始の日以後6月の期間（＝六月中間申告対象期間）の末日までに確定した金額をいう。

(2) **中間納付税額**

> Ⓒ（百円未満切捨）

(3) **申告期限**

> 六月中間申告対象期間の末日の翌日から2月以内

(4) **任意の中間申告**

> 直前の課税期間の確定消費税額（六月分）が24万円以下であっても、一定の届出書の提出を行った場合には六月中間申告を行うこととなる。

**●中間申告の計算パターン**

(1) 一月中間申告

　① 判　定

$$\frac{直前の課税期間の確定消費税額}{直前の課税期間の月数} = Ⓐ > 4,000,000円$$

　　　　　∴　適用あり

　② 中間納付税額

　　Ⓐ（百円未満切捨）× 11回 ＝ ×××

(2) 三月中間申告

　① 判　定

$$\frac{直前の課税期間の確定消費税額}{直前の課税期間の月数} × 3 = Ⓑ > 1,000,000円$$

　　　　　∴　適用あり

　　※　その三月中間申告対象期間が、一月中間申告書を提出すべき期間を含む期間である場合には、三月中間申告の適用はない。

　② 中間納付税額

　　Ⓑ（百円未満切捨）× 3回 ＝ ×××

(3) 六月中間申告

　① 判　定

$$\frac{直前の課税期間の確定消費税額}{直前の課税期間の月数} × 6 = Ⓒ > 240,000円$$

　　　　　∴　適用あり

　　※　その六月中間申告対象期間が、一月中間申告書又は三月中間申告書を提出すべき期間を含む期間である場合には、六月中間申告の適用はない。

　② 中間納付税額

　　Ⓒ（百円未満切捨）

(4) 中間納付税額

　(1)＋(2)＋(3)＝ ×××

**35**

中間申告制度

## ■ 設 例

前課税期間（令和6年4月1日から令和7年3月31日まで）に係る消費税額（当課税期間の中間申告税額の計算の基礎となる消費税額）は624,000円である。これに基づき、当課税期間（令和7年4月1日から令和8年3月31日まで）の中間納付税額を求めなさい。

## ■ 解 説

(1) 一 月

$$\frac{624,000円}{12} = 52,000円 \leqq 4,000,000円 \qquad \therefore \quad 適用なし$$

(2) 三 月

$$\frac{624,000円}{12} \times 3 = 156,000円 \leqq 1,000,000円$$

$$\therefore \quad 適用なし$$

(3) 六 月

① $\dfrac{624,000円}{12} \times 6 = 312,000円 > 240,000円$

$$\therefore \quad 適用あり$$

② 312,000円（百円未満切捨）

(4) 中間納付税額

312,000円

〔4〕仮決算による場合

中間納付税額の計算にあたり、中間申告対象期間を一課税期間とみなして、確定申告に準じた方法により、中間納付税額の計算を行うことができる。

〔5〕前期納税実績と仮決算の選択

事業者は、「前期納税実績」と「仮決算」の両方で求めた中間納付税額のうち有利な方を選択し適用することができる。

35

中間申告制度

# 36 引取りの申告制度

重要度C
★

●学習のポイント●

輸入取引の申告について、申告納税方式の申告、納付、納期限の延長のしくみ及び賦課課税方式の申告、徴収のしくみを理解する。

## ■ ポイント整理

輸入取引については、課税貨物を保税地域から引き取ろうとする者が申告書を税関長に提出しなければならない。

### 〔1〕引取りの申告

| 申告の種類 | | 申告書の提出期限 |
|---|---|---|
| 申告納税方式 | 一般申告 | 課税貨物の引取りの日まで |
| | 特例申告 | 課税貨物の引取りの日の属する月の翌月末日まで |
| 賦課課税方式 | | 課税貨物の引取りの日まで |

### 〔2〕納付等

| 申告の種類 | | 納期限等 | 納期限の延長 |
|---|---|---|---|
| 申告納税方式 | 一般申告 | 課税貨物を保税地域から引き取る時まで | 都度延長<br>…納期限を3月以内に限り延長できる<br>月まとめ延長<br>…特定月における消費税額の納期限をその特定月の末日の翌日から3月以内に限り延長できる |
| | 特例申告 | 特例申告書の提出期限まで | 納期限を2月以内に限り延長できる |
| 賦課課税方式 | | 引取りの際、税関長が徴収 | |

36

引取りの申告制度

# 37 納税地

●学習のポイント●

　国内取引の納税地について、個人事業者の納税地と法人の納税地を覚える。

## ■ ポイント整理

〔1〕国内取引の納税地

（1）個人事業者の納税地

① 原 則

| 区　　分 | 納　税　地 |
|---|---|
| 国内に住所を有する場合 | 住所地 |
| 国内に住所を有せず居所を有する場合 | 居所地 |
| 国内に住所、居所を有せず、事務所等を有する場合 | 事務所等の所在地（2以上ある場合には、主たるものの所在地） |
| 上　記　以　外　の　場　合 | 一定の場所 |

② 特 例

| 区　　分 | 納　税　地 |
|---|---|
| 国内に住所のほか、居所を有する場合 | 住所地に代え、居所地を納税地とすることができる |
| 国内に住所のほか、事務所等を有する場合 | 住所地に代え、事務所等の所在地を納税地とすることができる |
| 国内に居所のほか、事務所等を有する場合 | 居所地に代え、事務所等の所在地を納税地とすることができる |

③ 納税義務者が死亡した場合

　相続により承継した、被相続人の資産の譲渡等及び特定仕入れに係る納税地は、その被相続人（死亡した者）の納税地とする。

⑵ **法人の納税地**

　① **原 則**

| 区　　分 | 納　税　地 |
|---|---|
| 内　国　法　人 | 本店又は主たる事務所の所在地 |
| 外国法人で国内に事務所等を有する法人 | 事務所等の所在地（2以上ある場合には、主たるものの所在地） |
| 上記以外の場合 | 一定の場所 |

　② **被合併法人の消費税に係る納税地**

　　　合併に係る被合併法人の、その合併の日後における消費税の納税地は、その合併に係る合併法人の納税地とする。

〔2〕**輸入取引の納税地**

　　　保税地域から引き取られる外国貨物に係る消費税の納税地は、その保税地域の所在地とする。

〔3〕**輸出物品販売場購入物品を譲渡した場合の納税地**

| 区　　分 | 納　税　地 |
|---|---|
| 免税購入した非居住者が、帰国時において携帯していない場合 | 出港地の所在地 |
| 免税購入した非居住者が、居住者となる場合 | その者の住所地又は居所地 |
| 免税購入された物品について承認手続を受けて譲渡又は譲受けがされた場合 | その承認があった時におけるその物品の所在場所 |
| 免税購入された物品について無承認で譲渡又は譲受けがされた場合 | 譲渡又は譲受けがされた時におけるその物品の所在場所 |

〔4〕**異動の届出**

　　　法人は、納税地に異動があった場合には、遅滞なく、その異動前の納税地の所轄税務署長に異動届出書を提出しなければならない。

# 38 国境を越えた役務の提供に係る課税

重要度A
★★★

## 〔1〕国境を越えた役務の提供に係る課税

### (1) 電気通信利用役務の提供に係る国内取引の判定

「電気通信利用役務の提供を受ける者の住所、居所、本店、主たる事務所の所在地」が、国内にあるかどうかで判定する。

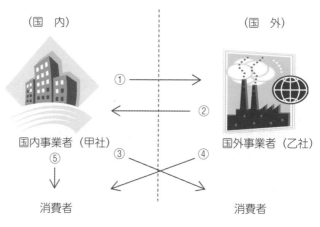

| 取引 | 内外判定 |
|---|---|
| ① | 国外取引：不課税 |
| ② | 国内取引：課　税 |
| ③ | 国外取引：不課税 |
| ④ | 国内取引：課　税 |
| ⑤ | 国内取引：課　税 |

また、国外事業者から受けた「事業者向け電気通信利用役務の提供」（特定仕入れ）に係る消費税の内外判定基準（課税対象となる国内取引に該当するかどうかの判定基準）については、次のとおりとなる。

| 特定仕入れを行う事業者 | 原 則 | 例 外 |
|---|---|---|
| 国内事業者 | 「事業者向け電気通信利用役務の提供」を受けた（特定仕入れを行った）事業者の住所若しくは居所（現在まで引き続いて1年以上居住する場所をいう。）又は本店若しくは主たる事務所の所在地 | 国内事業者が国外事業所等（※）で受ける「事業者向け電気通信利用役務の提供」のうち、国外において行う資産の譲渡等にのみ要するものである場合は、国外取引とする |
| 国外事業者 | | 国外事業者が<u>恒久的施設</u>（※）で受ける「事業者向け電気通信利用役務の提供」のうち、国内において行う資産の譲渡等に要するものである場合は、国内取引とする |

※ 所得税法又は法人税法上の国外事業所等又は恒久的施設をいう。

## (2) 課税方式

当該電気通信利用役務の提供を行った者が国外事業者である場合には、下記①及び②の、いずれに該当するかによって、課税方式は次のとおりとなる。

① 事業者向け電気通信利用役務の提供 **(リバースチャージ方式)**

国外事業者が行う「事業者向け電気通信利用役務の提供」について、当該役務の提供を受けた国内事業者に申告納税義務を課す方式（対象取引例：広告の配信）

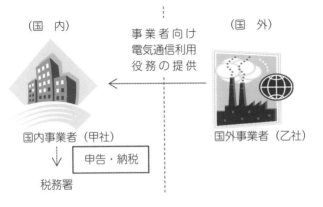

（国 内）　　　　　事業者向け　　　　　（国 外）
　　　　　　　　　電気通信利用
　　　　　　　　　役務の提供

　　　　　　　　　　　←

国内事業者（甲社）　　　　　　　　　国外事業者（乙社）

　↓

　　申告・納税

税務署

**※国内事業者（甲社）の仕入取引について**

甲社における消費税法上の取扱いは次のとおりとなる。

イ　上記(1)により、国内取引となる。

ロ　当該仕入れは、「特定仕入れ」といい、甲社が行う当該仕入れは、課税の対象となる。

ハ　当該仕入れは、「特定課税仕入れ」といい、甲社が納税義務者となる。

ニ　当該仕入れは、「特定課税仕入れ」といい、甲社の仕入税額控除の対象となる。

② ①以外の電気通信利用役務の提供(国外事業者申告納税方式)
≒消費者向け電気通信利用役務の提供

　国外事業者が行う「電気通信利用役務の提供」のうち、「事業者向け電気通信利用役務の提供」以外のものについて、国外事業者に申告納税義務を課す方式（対象取引例：電子書籍・音楽の配信）

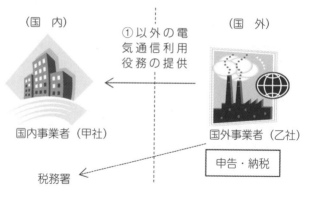

**※国内事業者（甲社）の仕入取引について**

甲社における消費税法上の取扱いは次のとおりとなる。

イ　上記(1)により、国内取引となる。

ロ　当該仕入れは、「特定仕入れ」にはならない。

ハ　当該仕入れは、「特定課税仕入れ」にはならず、甲社は納税義務者とはならない。

ニ　当該仕入れは、国内における「課税仕入れ」となり、甲社の仕入税額控除の対象となる（ただし、国外事業者（乙社）が、適格請求書発行事業者である場合に限る）。

　　※　適格請求書発行事業者の登録を受けていない国外事業者から提供を受けた消費者向け電気通信利用役務の提供

については、仕入税額控除の対象とはならず、適格請求書発行事業者以外の者からの課税仕入れに係る経過措置（80％又は50％控除の措置）の適用もない。

## 参　考　リバースチャージ方式の適用除外

事業者が、「事業者向け電気通信利用役務の提供」を受けた場合であっても、次のイ〜ハに該当する課税期間については、当分の間、「事業者向け電気通信利用役務の提供」はなかったものとされるため、リバースチャージ方式による申告を行う必要はない。
また、その仕入税額控除も不可となる。
イ　原則課税で、かつ、課税売上割合が 95％以上の課税期間
ロ　簡易課税制度が適用される課税期間
ハ　2割特例の適用を受ける課税期間

### 〔2〕国外事業者が行う芸能・スポーツ等に係る課税

特定役務の提供（注）については、国外事業者から国内において当該役務の提供を受けた事業者が「特定課税仕入れ」として、「リバースチャージ方式」により、申告・納税を行うこととなる。

これにより、当該特定役務の提供を受ける事業者が申告・納税の対象となる。

（注）特定役務の提供とは、資産の譲渡等のうち、国外事業者が行う映画等の俳優、音楽家その他の芸能人又は職業運動家の役務の提供のうち、国外事業者が他の事業者に対して行う一定のものをいう。

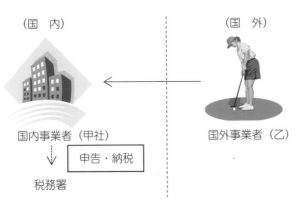

（国　内）　　　　　　　　　　　（国　外）

国内事業者（甲社）　　　　　　国外事業者（乙）
↓
申告・納税

税務署

### ※国内事業者（甲社）の仕入取引について

甲社における消費税法上の取扱いは次のとおりとなる。

イ　乙の役務提供地が国内であるため、国内取引となる。

ロ　当該仕入れは、「特定仕入れ」といい、甲社が行う当該仕入れは、課税の対象となる。

ハ　当該仕入れは、「特定課税仕入れ」といい、甲社が納税義務者となる。

ニ　当該仕入れは、「特定課税仕入れ」といい、甲社の仕入税額控除の対象となる。

## 〔3〕プラットフォーム課税の創設

令和7年4月1日以後に、国外事業者がデジタルプラットフォームを介して行う消費者向け電気通信利用役務の提供で、かつ、国税庁長官の指定を受けた特定プラットフォーム事業者を介してその役務の提供の対価を収受するものについては、その特定プラットフォーム事業者が、その役務の提供を行ったものとみなして、申告・納税を行うこととされた。

※　国外事業者とは、所得税法に規定する非居住者である個人事業者及び法人税法に規定する外国法人をいう。

# 索　引

MEMO

MEMO

税理士受験シリーズ

2025年度版　消費税法　完全無欠の総まとめ

（平成16年度版　2004年5月3日　初版　第1刷発行）

2024年12月2日　初　版　第1刷発行

| | | |
|---|---|---|
| 編　著　者 | Ｔ　Ａ　Ｃ　株　式　会　社 | |
| | （税理士講座） | |
| 発　行　者 | 多　　田　　敏　　男 | |
| 発　行　所 | ＴＡＣ株式会社　出版事業部 | |
| | （ＴＡＣ出版） | |

〒101-8383
東京都千代田区神田三崎町3-2-18
電　話　03(5276)9492（営業）
FAX　03(5276)9674
https://shuppan.tac-school.co.jp

| | | |
|---|---|---|
| 印　　　刷 | 株式会社　ワ　　コ　　ー | |
| 製　　　本 | 株式会社　常　川　製　本 | |

© TAC 2024　　Printed in Japan　　ISBN 978-4-300-11350-9
N.D.C.　336

# 「税理士」の扉を開くカギ

## それは、合格できる教育機関を決めること!

あなたが教育機関を決める最大の決め手は何ですか?

通いやすさ、受講料、評判、規模、いろいろと検討事項はありますが、一番の決め手となること、それは「合格できるか」です。

TACは、税理士講座開講以来今日までの40年以上、「受講生を合格に導く」ことを常に考え続けてきました。そして、「最小の努力で最大の効果を発揮する、良質なコンテンツの提供」をもって多数の合格者を輩出し、今も厚い信頼と支持をいただいております。

令和5年度 税理士試験
TAC 合格祝賀パーティー

東京会場　ホテルニューオータニ

合格者から「喜びの声」を多数お寄せいただいています。

https://www.tac-school.co.jp/kouza_zeiri/zeiri_jisseki.html

ズバリ的中!

的中

# 高い的中実績を誇る TACの本試験対策

TACが提供する演習問題などの本試験対策は、毎年高い的中実績を誇ります。
これは、合格カリキュラムをはじめ、講義・教材など、明確な科目戦略に基づいた合格コンテンツの結果でもあります。

## 簿記論

### TAC実力完成答練 第2回

●実力完成答練 第2回【第二問】【資料2】1
【資料2】決算整理事項等
1 現金に関する事項
決算整理前残高試算表の現金はすべて少額経費の支払いのために使用している小口現金である。小口現金については設定額を100,000円とする定額資金前渡制度(インプレストシステム)を採用しており、毎月末に使用額の報告を受けて、翌月1日に使用額と同額の小切手を振り出して補給している。
2023年3月のその他の営業費として使用した額が97,460円(税込み)であった旨の報告を受けたのが処理は行っていない。なお、現金の実際有高は2,700円であったため、差額については現金不足として雑収入又は雑損失に計上することとする。

### 2023年度 本試験問題 的中

[第三問]【資料2】
【資料2】決算整理事項等
1 小口現金
甲社は、定額資金前渡法による小口現金制度を採用し、担当部署に100,000円を渡して月末に小口手を振り出して補給することとしている。決算整理前残高試算表の小口現金は3月末の補給前の金額であり、3月末の補給は現になされている必要は処理済である。
なお、3月末の補給前の小口現金の実際残高は63,000円であり、帳簿残高との差額を調査した。3月31日の午前七で後に3月分の新聞代(その他の費用勘定)4,320円(税込み、軽減税率8%)を誤って二重に支払い、午前と午後にそれぞれ会計処理が行われていた。この二重払いについては4月中に4,320円の返金を受けることになっている。調査では、他に原因が明らかになるものは見つからなかった。

## 財務諸表論

### TAC実力完成答練 第2回

●実力完成答練 第2回【第二問】2(3)
(3) 前期末においてC社に対する売掛金15,000千円を貸倒懸念債権に分類していたが、同社は期末に二度目の不渡りを発生させ、銀行取引停止処分を受けた。当該債権について今後1年以内に回収でききないと判断し、破産更生債権に分類をする。なお、当期において同社との取引はなく、取引開始時より有価証券(取引開始時の時価2,500千円、期末時価3,000千円)を担保として入手している。

### 2023年度 本試験問題 的中

[第三問]2(2)
(2) 得意先D社に対する営業債権は、前期において経営状況が悪化していたため貸倒懸念債権に分類されていたが、同社は×5年2月に二度目の不渡りを発生させ銀行取引停止処分になった。D社に対する営業債権の期末残高は受取手形4,340千円及び売掛金3,750千円である。なお、D社からは2,000千円相当のゴルフ会員権を担保として受け入れている。

## 所得税法

### TAC実力完成答練 第4回

●実力完成答練 第4回【第一問】問2
問2 所得税法第72条(雑損控除)の規定において除かれている資産について損失が生じた場合の、その損失が生じた年分の各種所得の金額の計算における取扱いを説明しなさい。
なお、租税特別措置法に規定する取扱いについては、説明を要しない。

### 2023年度 本試験問題 的中

[第二問]問2
問2 地震等の災害により、居住者が所有している次の(1)～(3)の不動産に被害を受けた場合の、その被害による損失は所得税法上のどのような取扱いとなるか、簡潔に説明しなさい。
なお、説明に当たっては、損失金額の計算方法の概要についても併せて説明しなさい。
(注)「災害被害者に対する租税の減免、徴収猶予等に関する法律」に規定されている事項については、説明する必要はない。
(1) 居住している不動産
(2) 事業の用に供している賃貸用不動産
(3) 主として保養の目的で所有している不動産

## 消費税法

### TAC理論ドクター

●理論ドクター P203
10. レストランへの食材の販売
当社は、食品卸売業を営んでいます。当社の取引先であるレストランに対して、そのレストラン内で提供する食事の食材を販売していますが、この場合は軽減税率の適用対象となりますか。

### 2023年度 本試験問題 的中

[第一問]問2(2)
(2) 食品卸売業を営む内国法人E社は、飲食店業を営む内国法人F社に、F社が経営するレストランで提供する食事の食材(肉類)を販売した。E社がF社に対し行う食材(肉類)の販売に係る消費税の税率について、消費税法令上の適用関係を述べなさい。

# 2025年合格目標コース

## 反復学習でインプット強化! & 豊富な演習量で実践力強化!

### 対象者：初学者／次の科目の学習に進む方

| 2024年 | | | | 2025年 | | | | | | |
|---|---|---|---|---|---|---|---|---|---|---|
| 9月 | 10月 | 11月 | 12月 | 1月 | 2月 | 3月 | 4月 | 5月 | 6月 | 7月 | 8月 |

**9月入学 基礎マスター + 上級コース**（簿記・財表・相続・消費・酒税・固定・事業・国徴）
3回転学習！年内はインプットを強化、年明けは演習機会を増やして実践力を鍛える！
※簿記・財表は5月・7月・8月・10月入学コースもご用意しています。

**9月入学 ベーシックコース（法人・所得）**
2回転学習！週2ペース、8ヵ月かけてインプットを鍛える！

**9月入学 年内完結 + 上級コース（法人・所得）**
3回転学習！年内はインプットを強化、年明けは演習機会を増やして実践力を鍛える！

**12月・1月入学 速修コース（全11科目）**
7ヵ月〜8ヵ月間で合格レベルまで仕上げる！

**3月入学 速修コース（消費・酒税・固定・国徴）**
短期集中で税法合格を目指す！

税理士試験

### 対象者：受験経験者（受験した科目を再度学習する場合）

| 2024年 | | | | 2025年 | | | | | | |
|---|---|---|---|---|---|---|---|---|---|---|
| 9月 | 10月 | 11月 | 12月 | 1月 | 2月 | 3月 | 4月 | 5月 | 6月 | 7月 | 8月 |

**9月入学 年内上級講義 + 上級コース（簿記・財表）**
年内に基礎・応用項目の再確認を行い、実力を引き上げる！

**9月入学 年内上級演習 + 上級コース（法人・所得・相続・消費）**
年内から問題演習に取り組み、本試験時の実力維持・向上を図る！

**12月入学 上級コース（全10科目）**
※住民税の開講はございません
講義と演習を交互に実施し、答案作成力を養成！

税理士試験

※2024年7月12日時点の情報です。最新の情報は、TAC税理士講座ホームページをご確認ください。

**詳しい資料をお送りいたします。**
右記電話番号もしくはTACホームページ
(https://www.tac-school.co.jp/)にてご請求ください。

**通話無料 0120-509-117** ゴウカク イイナ
受付時間 10:00〜19:00(月〜金) 10:00〜17:00(土・日・祝)
※営業時間短縮の場合がございます。詳細はHPでご確認ください。

# "入学前サポート"を活用しよう!

## 無料セミナー&個別受講相談

無料セミナーでは、税理士の魅力、試験制度、科目選択の方法や合格のポイントをお伝えしていきます。セミナー終了後は、個別受講相談でみなさんの疑問や不安を解消します。

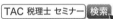 TAC 税理士 セミナー 検索
https://www.tac-school.co.jp/kouza_zeiri/zeiri_gd_gd.htm

## 無料Webセミナー

TAC動画チャンネルでは、校舎で開催しているセミナーのほか、Web限定のセミナーも多数配信しています。受講前にご活用ください。

 TAC 税理士 動画 検索
https://www.tac-school.co.jp/kouza_zeiri/tacchannel.html

## 体 験 入 学

教室講座開講日(初回講義)は、お申込み前でも無料で講義を体験できます。講師の熱意や校舎の雰囲気を是非体感してください。

 TAC 税理士 体験 検索
https://www.tac-school.co.jp/kouza_zeiri/zeiri_gd_taiken.html

## 税理士11科目 Web体験

「税理士11科目Web体験」では、TAC税理士講座で開講する各科目・コースの初回講義をWeb視聴いただけるサービスです。講義の分かりやすさを確認いただき、学習のイメージを膨らませてください。

 TAC 税理士 検索
https://www.tac-school.co.jp/kouza_zeiri/taiken_form.html

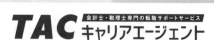

# 2025年度版 税理士試験対策書籍のご案内

TAC出版では、独学用、およびスクール学習の副教材として、各種対策書籍を取り揃えています。学習の各段階に対応していますので、あなたのステップに応じて、合格に向けてご活用ください!

(刊行内容、発行月、装丁等は変更することがあります)

## ●2025年度版 税理士受験シリーズ

「税理士試験において長い実績を誇るTAC。このTACが長年培ってきた合格ノウハウを"TAC方式"としてまとめたのがこの「税理士受験シリーズ」です。近年の豊富なデータをもとに傾向を分析、科目ごとに最適な内容としているので、トレーニング演習に欠かせないアイテムです。」

※暗記音声はダウンロード商品です。TAC出版書籍販売サイト「サイバーブックストア」にてご購入いただけます。

## ●2025年度版 みんなが欲しかった！税理士 教科書&問題集シリーズ

「効率的に税理士試験対策の学習ができないか？ これを突き詰めてできあがったのが、「みんなが欲しかった！税理士 教科書&問題集シリーズ」です。必要十分な内容をわかりやすくまとめたテキスト（教科書）と内容確認のためのトレーニング（問題集）が1冊になっているので、効率的な学習に最適です。」

## ●解き方学習用問題集

現役講師の解答手順、思考過程、実際の書込みなど、㊙テクニックを完全公開した書籍です。

## ●その他関連書籍

**好評発売中！**

TACの書籍はこちらの方法でご購入いただけます

**1** 全国の書店・大学生協　**2** TAC各校 書籍コーナー

**3** CYBER BOOK STORE TAC出版書籍販売サイト アドレス https://bookstore.tac-school.co.jp/

・2024年7月現在　・年度版各巻の価格は、決定しだい上記**3**のサイバーブックストアに掲載されますのでご参照ください

# 書籍の正誤に関するご確認とお問合せについて

書籍の記載内容に誤りではないかと思われる箇所がございましたら、以下の手順にてご確認とお問合せをしてくださいますよう、お願い申し上げます。

なお、正誤のお問合せ以外の書籍内容に関する解説および受験指導などは、一切行っておりません。
そのようなお問合せにつきましては、お答えいたしかねますので、あらかじめご了承ください。

## 1 「Cyber Book Store」にて正誤表を確認する

TAC出版書籍販売サイト「Cyber Book Store」の
トップページ内「正誤表」コーナーにて、正誤表をご確認ください。

**CYBER** TAC出版書籍販売サイト
**BOOK STORE**

### URL：https://bookstore.tac-school.co.jp/

## 2 1の正誤表がない、あるいは正誤表に該当箇所の記載がない
⇒下記①、②のどちらかの方法で文書にて問合せをする

★ご注意ください★

**お電話でのお問合せは、お受けいたしません。**

①、②のどちらの方法でも、お問合せの際には、「お名前」とともに、

「対象の書籍名（○級・第○回対策も含む）およびその版数（第○版・○○年度版など）」
「お問合せ該当箇所の頁数と行数」
「誤りと思われる記載」
「正しいとお考えになる記載とその根拠」

を明記してください。

なお、回答までに1週間前後を要する場合もございます。あらかじめご了承ください。

① ウェブページ「Cyber Book Store」内の「お問合せフォーム」より問合せをする

【お問合せフォームアドレス】

### https://bookstore.tac-school.co.jp/inquiry/

② メールにより問合せをする

【メール宛先　TAC出版】

### syuppan-h@tac-school.co.jp

※土日祝日はお問合せ対応をおこなっておりません。
※正誤のお問合せ対応は、該当書籍の改訂版刊行月末日までといたします。

乱丁・落丁による交換は、該当書籍の改訂版刊行月末日までといたします。なお、書籍の在庫状況等により、お受けできない場合もございます。
また、各種本試験の実施の延期、中止を理由とした本書の返品はお受けいたしません。返金もいたしかねますので、あらかじめご了承くださいますようお願い申し上げます。

（2022年7月現在）